Ainsi les différents arts se mettent-ils lentement en chemin pour dire ce qu'ils peuvent le mieux dire, et ce, par les moyens que chacun d'eux possède exclusivement.

Et, en dépit de cet isolement, ou grâce à lui, jamais les arts, en tant que tels, n'ont été aussi proches les uns des autres. [...]

Consciemment ou non, ils obéissent au mot de Socrate : « Connais-toi toi-même. » Consciemment ou non, les artistes se penchent peu à peu sur leur matériau, l'essaient, pèsent sur la balance de l'esprit la valeur intérieure des différents éléments par lesquels leur art est en mesure de créer.

Il s'ensuit naturellement de cette recherche une comparaison des éléments propres dont on dispose avec ceux d'un autre art. Dans cet ordre d'idées, les comparaisons avec la musique sont les plus riches d'enseignement.

Wassily Kandinsky

ZVIANE

PING
-
PONG

version commentée

Avant-propos

« Ping-pong » est un livre que j'ai édité moi-même en novembre 2014.

Le livre était sous licence « Creative Commons », un truc que j'avais voulu essayer à la place du copyright. Ça voulait dire que n'importe qui pouvait :

le photocopier,

bzzz

le modifier,

et même faire de l'argent avec.

J'en avais imprimé 500 exemplaires, que je suis allée porter moi-même dans les librairies.

valise lourde

Zviane en sueurs

Libraire content

Ce livre-là a eu un succès **monstre** !

Beaucoup de gens m'ont écrit.

Allo, je viens de lire Ping-pong, je suis électricien et je me suis reconnu là-dedans.

Cool!

Beaucoup de gens sont venus m'en parler pendant les salons, partys et festivals.

Eille, ton Ping-pong, ça a mis plein de mots sur des affaires que je ressentais!

Cool!

Bref, beaucoup de gens ont eu envie d'en jaser avec moi!

C'est cool!

Dès le début, les éditions Pow Pow se sont montrées intéressées à rééditer Ping-pong.

(Mais anyway, je pouvais pas leur dire non, il n'y avait pas de copyright!)

Il fallait donc adapter Ping-pong au format des éditions Pow Pow, qui est beaucoup plus large que mon livre auto-édité.

plus étroit →

Plus ← large

L'idée me plaisait, ça donnait la parole à ceux qui m'avaient écrit à propos du livre!

Ça devenait un ping-pong avec eux autres !!!

Alors, je me suis mise à inviter plein de monde !

J'ai invité 5 autres personnes! Ça va faire 500 pages !!!

Euh

Mais ça réglait pas le problème d'origine.

On fait quoi avec les marges ?

Ah oui, les marges ...

Ben...

Écoute, y a plein d'affaires que j'ai écrites dans ping-pong avec lesquelles je suis plus vraiment d'accord.

Je pourrais utiliser les marges pour CHIALER !

C'est vrai que c'est le fun, chialer.

Pis en plus, ça prendrait la forme d'un dialogue entre moi en 2014 et moi en 2015...

Un ping-pong dans le TEMPS !!!

CONCEPT

Faque ce qui était le livre auto-édité sera imprimé en **NOIR**

et tout ce qui est rajouté dans cette édition va être imprimé en **VERT**.

Sur les pages imprimées en noir, je vais commenter en vert dans les marges.

Je vais commenter:

• les trucs avec lesquels je ne suis plus d'accord;

• les trucs qui sont pas super clairs;

• les dessins, quand y sont laittes;

• les trucs sur lesquels d'autres auteurs ont fait un commentaire.

Après la partie imprimée en noir, il va y avoir la **partie collective!**

Plein d'auteurs ont été invités à répondre au livre.

Je voulais en apprendre sur leur processus créatif!

Je voulais des anecdotes, des réflexions, leurs illuminations, leurs eurêkas!

En fait, je voulais faire un livre que j'aurais vraiment envie de lire avant de me coucher le soir.

J'espère que vous allez aimer ça!

Pis que vous partagerez, vous aussi, ce qui vous passe par la tête quand vous créez.

ZVIANE

Première partie

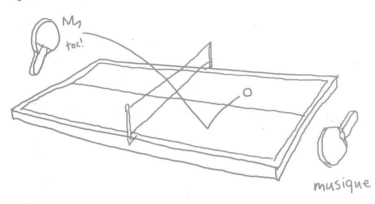

bande dessinée

M,

toc!

musique

Au secondaire, je dessinais pas mal. Mais c'était pas sérieux.

MOON POWER!

Je jouais du piano, aussi, mais ça ne m'était jamais passé par la tête d'en faire une carrière.

RACH

En 2000, j'ai subi un échec absolument lamentable qui m'a vraiment fessé dedans: j'ai coulé le test de dessin pour être admise dans le programme de dessin animé.

YOU FAIL.

Je pensais que j'étais BONNE en dessin!!!

GROSSE leçon d'humi- lité

J'ai passé une année de marde dans un programme que j'aimais pas, année durant laquelle j'ai beaucoup joué de piano pour me consoler.

Pis un jour:

Eille. Je pourrais m'inscrire en musique.

J'aime vraiment ça.

Faque j'ai fait un DEC de deux ans en piano classique, puis un BAC en compo instrumentale à l'Université de Montréal, puis enfin une année de maîtrise dans la même discipline.

TRIP TOTAL

Parallèlement, je faisais beaucoup de B.D. (en hobby), et de fil en aiguille, j'ai publié mon 1er livre. Puis mon 2e. Et ainsi de suite.

JAMAIS ça m'était passé par la tête d'en faire une carrière.

J'ai toujours fait à la fois de la musique et de la B.D., sauf que la musique, je m'y investissais à temps plein. La B.D., c'était juste un sideline.

J'avais donc plus de connaissances en musique qu'en B.D. (j'y réfléchissais plus!).

L'analyse harmonique, la tension en regard de la grande forme, la ponctuation, le contrepoint, l'écriture tonale en général, tout ça c'était du gros bonbon pour moi. La musique est un art qui se déploie dans le temps, et j'ai toujours considéré la bande dessinée comme sa semblable: dans les deux cas, tu racontes quelque chose. Et plus je découvrais des choses en musique, plus j'avais tendance à vouloir vérifier si le même principe était aussi vérifiable en B.D.

Donc, pendant très longtemps (ris pas de moi!!!), j'ai cru que la musique, c'était l'art le plus puissant, celui duquel tout découle. Une espèce d'art supérieur, quoi. Je sentais que l'apprentissage de la musique pouvait m'éclairer sur tous les autres arts (et ça s'est avéré), mais je sentais que l'inverse n'était pas possible. Puisque je faisais de plus en plus de bandes dessinées, c'est vers la bande dessinée que j'ai senti ce «one way».

J'avais pas assez de pratique en dessin pour me rendre compte que ce jugement fautif découlait de mes propres prédispositions.

OK, faut pas capoter non plus, je suis pas Pierre Boulez.

Je suis à peine capable de re-transcrire du jazz !!

(j'aimerais beaucoup apprendre)

J'ai une oreille cent mille fois supérieure à mon oeil. J'ai une excellente mémoire auditive, polyphonique, rythmiquement assez juste, la musique «joue» littéralement dans ma tête avec la plupart de ses para-mètres, de telle sorte que de mémoire, je suis capable de la retranscrire assez facilement, en autant que l'écriture reste dans le spectre de mes connais-sances de langages.

·EN REVANCHE·

C'est drôle, je ne me dessine plus comme ça.

Ma mémoire visuelle est nulle. J'ai peine à me rappeler de l'allure des gens, je me perds facilement, je peux difficilement vous dire la couleur des yeux de mes amis, la couleur de la peau de mon ancien client (anecdote à l'appui), le linge que les gens portent, je ne remarque pas quand les gens se coupent les cheveux...

Quand je dessine, Google est mon meilleur ami puisque je ne peux à peu près rien dessiner sans références photographiques.

LE SON L'EMPORTE SUR L'IMAGE.

Avant d'écrire des notes de musique, je pouvais avoir une idée assez claire dans ma tête de ce que j'allais écrire.

Devant une feuille blanche ou une case vide, je suis terriblement angoissée.

(mais de moins en moins)

Était-ce vraiment si clair que ça ?

Je me sens comme une compositrice têtue qui n'a pas d'oreille, qui n'entend rien dans sa tête, mais qui persiste à vouloir écrire.

Sacramouille.

Jusqu'à tout récemment, je ne voyais strictement rien dans ma tête avant de poser mon crayon sur ma case vide.

Mais l'œil et l'oreille, ça a l'air que ça S'APPREND.

(C'est pas moi qui le dis, c'est le Goglu.)

http://zviane.com/prout/438

J'ai déjà dit que je ne croyais pas au talent, mais il y a, on doit l'admettre, le «chemin le plus court»; y a effectivement des gens qui vont cheminer plus vite ou qui auront plus de facilité. Mon chemin le plus court, c'était la musique, et là je patauge dans un chemin vachement plus long... et depuis peu, je *commence* à sentir que je comprends des choses. Pas grand-chose, certes, mais de temps en temps, ça fait «POP» !

Manet →

Certaines personnes que j'ai rencontrées m'ont aidée à aiguiser un peu plus mon sens de la vue, à me sensibiliser.

Je suis persuadée que devant le même paysage, je tripe aujourd'hui 20 fois plus que si j'avais vu ce même paysage y a 5 ans — et qu'est-ce que ce sera dans 10 ans !?....

Regarde! ça, c'est un vert qui rend fou.

DOOOOOh.

Ce qui est vraiment badtripant, c'est qu'avant, j'aurais été incapable de comprendre l'intérêt de la sensibilité visuelle. Complètement incapable !!

ça me donne le vertige d'y penser.

Comme j'ai déjà eu ce manque d'acuité (et que je l'ai toujours !), ça signifie que je suis moi-même pro- bablement en manque d'acuité pour une FOULE de choses, et donc qu'une bonne partie des gens qui me lisent ont aussi ce manque, et ne seront jamais touchés par mes B.D.

Est-ce que c'est le manque d'acuité qui fait que quelqu'un n'est pas touché par mes B.D. ?

C'est une perspective défendable!

Bon, OK, fine, t'es donc bonne en musique pis tu voyais donc rien... où est-ce que tu veux en venir ?

Tsé, la musique m'a appris beaucoup de choses sur la bande dessinée, sur le dessin...

Mais en janvier 2011, pour la première fois de ma vie, un dessin m'a fait comprendre un truc sur la musique !!!

Pis je me rappelle plus c'est quoi !!

Ha ha ha !!!

(Mais depuis, c'est arrivé mille fois.)

J'avais d'abord cru à un one-way

Pis là, ça l'a rebondi pour la première fois

Qu'est-ce que ce serait si je me mettais aussi à la biologie ? À la programmation ? À la cuisine ? À la sculpture ?

C'est depuis cette époque-là que je note des trucs. À chaque fois qu'un bout de table apparaît sous la balle de ping-pong, à chaque fois que je suis témoin d'un dialogue entre deux disciplines, à chaque fois ça me rend tout excitée et je note ça n'importe où.

Je me suis dit que ça pourrait faire un fanzine. En fait, c'est le genre de fanzine que j'aimerais lire, je pense. Faque je me suis dit :

Enweille la grosse, ramasse toutes tes p'tites notes éparpillées à cent mille endroits différents, pis CHIE QUELQUE CHOSE !

Ça fait même pas six mois et je suis déjà en désaccord avec un paquet d'affaires.

Quelques réflexions sont déjà apparues sur mon blogue, mais c'était pas ordonné et c'était un peu n'importe quoi. <u>Mais en fait,</u> tout ce que vous lirez ici, c'est un peu n'importe quoi! Y a rien qui a la prétention d'être une vérité; c'est juste des pistes de réflexion vagues, avec lesquelles je serai probablement en désaccord dans une couple d'années. →

C'est de la merde, comment j'ai pu écrire ça !?

moi en 2017

Lire ce genre de trucs de la part d'autres personnes me fait triper des bananes. Je t'encourage donc à faire, toi avec, un petit fanzine qui va détruire toutes mes conclusions. YEAH !

FAIS-LE POUR VRAI !

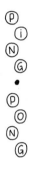

ZVIANE

Nommer les choses

J'imagine que les mères, elles aiment ça voir leur progéniture en rose avec un tutu.

C'est peut-être pour ça que le premier art que je me souviens d'avoir pratiqué, c'est la danse.

C'est donc par le corps que j'ai commencé à découvrir la musique.

Pis à 6 ans, j'ai commencé le xylophone
(en fait, c'était un métallophone).

Jojo

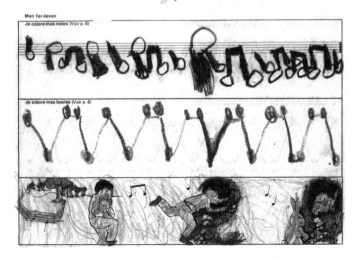

Je sais pas si cet épisode-là
m'a traumatisée ou de quoi,
mais depuis ce jour-là, j'ai un

Voir le
commentaire
de Cathon
(page 191)

FUCKING BLOCAGE
AVEC LA
LECTURE À VUE.

J'ai pas de misère à lire la musique, mais je suis pas capable de la jouer en même temps !...

Anyway— pour apprendre mes tounes, on avait une cassette audio, faque j'apprenais à l'oreille à la place de lire.

Pis à un moment donné, mes parents ont acheté un PIANO !

J'avais la même prof au piano, elle me donnait des exercices...

J'étais TELLEMENT EXCITÉE !!!!

Full motivée, la première semaine, je pratiquais 20 minutes tous les jours !!!

JE SUIS SUPER BONNE !!

La semaine suivante, toute fière, je montre mon travail de la semaine à la prof.

Checke ! Checke !

Sylvie-Anne ! Tu as fait le mauvais exercice ! J'avais écrit « page 76 » !

Il faut que tu lises ce que j'écris dans ton cahier de devoirs !...

LA LECTURE NE SERA JAMAIS MON FORT.

C'est pour ça que j'ai développé mon oreille, je crois: lire me faisait tellement chier.

Je pouvais reproduire des tounes pop simples au piano à l'oreille.

En revanche, j'étais incapable de lire une partition que je n'avais jamais entendue.

?

Ping —

Après 3 ans de piano, j'étais tannée.

As-tu fait ta pratique?

Sylvie-Anne, si tu ne veux plus pratiquer, il faudrait peut-être arrêter les cours.

J'ai beaucoup pleuré.

J'avais l'impression de décevoir ma mère.

Mais elle m'a dit que c'était _ma_ décision et que c'était OK.

On a arrêté les cours.

9 ans

Même aujourd'hui, en 2015, je pense encore en do mobile.

Pendant les 5 années suivantes, j'ai pas perdu grand-chose de mon oreille.

Lors de longs trajets en char, j'écoutais les tounes de la radio et je m'imaginais les accords.

do-sol-do

Mais c'était toujours en do majeur; mon vocabulaire était limité.

(j'entends la musique comme si elle était tout le temps dans la tonalité de do).

En secondaire 3 (à 15 ans), j'ai recommencé le piano parce que ça me manquait.

Peu à peu, ça m'a amenée à être capable de NOMMER LES CHOSES.

Je me souviens très clairement de la fois où j'ai découvert c'était quoi une dominante secondaire. Si tu sais pas c'est quoi, c'est pas vraiment important; je suis sûre que t'as déjà vécu quelque chose de semblable.

Le plus souvent, la dominante secondaire contient une note altérée (dans le 1er exemple: fa#; dans le 2e: sol#).

Cet accord-là, ça sonnait tellement __familier__.
Je me rappelais l'avoir entendu souvent dans
l'auto de mes parents! Mais mon esprit faisait
juste... je sais pas, sauter par-dessus! Mais une fois
que j'ai compris le concept, non seulement je l'entendais
partout, mais il a ouvert une porte concernant
bieeeeeeeen des possibilités de l'harmonie.

Tellement de choses étaient là, sous mes oreilles
depuis le début, auxquelles je n'avais jamais
été sensible, parce que je ne pouvais pas les nommer!

Un objet nommé, on peut le catégoriser.

Voir le commentaire d'Alexandre Fontaine Rousseau (page 207)

Nommer quelque chose m'aide à le classer, pis si je peux le classer, je peux faire des liens.

Nommer les choses m'aide à contempler plus en profondeur.

La typologie de Schaeffer m'a bien entendu créé le fantasme de faire des typologies pour tout et n'importe quoi.

Par exemple, j'ai commencé à faire un peu de vidéo en amateur; en fait, je filme des niaiseries et après, je les monte dans Première sur une toune. Je me suis dit que ce serait cool d'avoir un tableau de la typologie de l'énergie des clips; pour chaque petit extrait de film, il y a une texture, une tension, un mouvement, que je cherche à associer avec de la musique.

Si seulement je pouvais nommer les choses...

Jaune n'est pas jaune

 CAS 1

Pense à la lettre R

RRRRIDEAU!

Quand on parle de R, on sait de quoi on parle. On entend son son, on sent la position de notre bouche quand on le génère, quelque chose qui roule au fond de la gorge, la position de la langue, on pense à tout ça..

Radio! Radio!

Montre la lettre R à un anglophone. Il n'aura pas du tout les mêmes références! Dis « radio » en français pis « radio » en anglais, le R se trouve pas pantoute au même endroit dans la bouche! Ce sont deux choses complètement différentes!

FR $\neq$ ENG

Dis « R » à un Japonais.

Qu'est-ce qu'un R dans une langue où l'alphabet latin n'existe pas?

Il pensera à quelque chose de proche, à mi-chemin entre un R et un L, mais est-ce un R?

JP

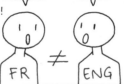

N'y a-t-il pas une multitude de R différents, même si on les appelle tous « R »?

R r ꭇ Ʀ R R

CAS 2

De quelle couleur est un citron ?

Jaune ?

De quelle couleur est une banane ?

Jaune ?

Mais regarde un citron et une banane: ils ne sont pas de la même couleur!

un peu + vert

un peu + orange

Pire: si je me rapproche très très très près, je verrai non pas une seule couleur, mais une multitude de couleurs différentes!

Si la banane est assez mûre, diras-tu qu'elle est jaune malgré les taches brunes ?

Si je blaste le citron avec une lumière très forte, diras-tu que le citron est jaune, malgré les gros spots blancs de la lumière qui se réfléchit?

Et si je ferme la lumière? La banane reste jaune, right? Mais tu ne la verras pas du tout de la même couleur !!

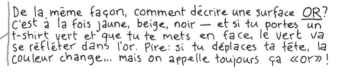

De la même façon, comment décrire une surface <u>OR</u>? C'est à la fois jaune, beige, noir — et si tu portes un t-shirt vert et que tu te mets en face, le vert va se réfléter dans l'or. Pire: si tu déplaces ta tête, la couleur change... mais on appelle toujours ça «or»!

Les couleurs ont leurs limites, mais les limites sont floues, imprécises, tellement tributaires du contexte...

Comment peut-on dire qu'une banane est jaune ???

Remarks on colors — Ludwig Wittgenstein

CAS 3

Gertrude dit à Yvan:

Mon oncle a une passion pour les bateaux!

À partir du même mot, ont-ils la même image en tête?

Cool!

CAS 4

Est-ce que ceci est une CHAISE?

Est-ce que ceci est une CHAISE?

À partir de quel moment précis arrête-t-on d'appeler ça une CHAISE?

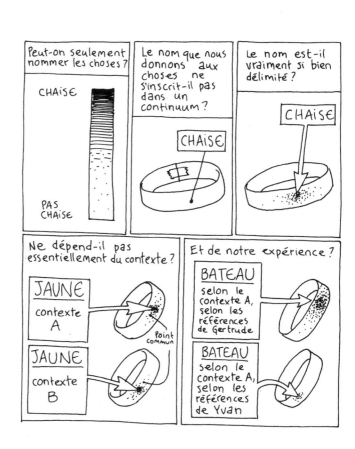

Ça, ça me fait penser aux étoiles.

• «La réalité est à l'extérieur du langage»?

Qu'est-ce que j'entends par «réalité»?

• «On ne peut penser que par le langage»?

COME ON!

Est-ce que j'ai besoin du langage quand j'apprends à monter à vélo? Quand je danse le cha-cha-cha? Quand je pense à un rhinocéros?

Les limites de ce que détermine un mot, elles ne concernent que la manière avec laquelle notre cerveau catégorise les choses. Ça n'existe pas à l'extérieur de notre tête.

(ben peut-être, en fait)

On les voit pas, les limites de notre langage: la définition qu'on donne aux choses. Comme dans cette petite fable:

D'un côté, il y avait la tribu A, qui donnait à l'oeuf le nom de «brouibroui».

Brouibroui.

De l'autre, la tribu B, qui donnait à l'oeuf le nom de «grougrou».

Grougrou.

J'aurais donc dû prendre trois pages au lieu de juste une pour expliquer ça.

Dans cette culture, la définition plus exacte du mot «brouibroui», c'était: «Affaire avec une poule ou un coq dedans.»

Dans cette culture, la définition plus exacte du mot «grougrou» était plutôt: «Affaire qui sort du cul d'une poule».

Les chefs des deux tribus comprenaient très bien la langue de l'autre, mais on traduisait le mot «brouibroui» par «grougrou» et vice-versa, en perdant les définitions culturelles, qui étaient légèrement différentes.

Une question déchirait les deux tribus:
«Qu'est-ce qui est venu en premier? L'oeuf ou la poule?»

C'est l'oeuf qui est venu en premier!

Selon sa définition d'un oeuf, il a raison! Peu importe d'où vient l'oeuf, ce qu'il y a dedans est une poule ou un coq.

Mais non! C'est la poule!

Selon sa définition d'un oeuf, il a raison! Ça doit sortir du cul d'une poule pour qu'on puisse appeler ça un oeuf!

L'oeuf! La poule!

L'oeuf! La poule!

À la question de «l'oeuf ou la poule», ils vont se fesser dessus pendant mille ans, sûrs qu'ils détiennent la vérité, parce qu'ils auront toujours cru que la question était philosophique, plutôt que linguistique.

C'est l'oeuf qui est venu en premier!

C'est pas l'oeuf qui est venu en premier!

L'histoire de l'humanité ne serait-elle pas qu'un looooooooooong malentendu?

43

Comment nommer les choses, si jaune n'est pas jaune, si une chaise n'est pas une chaise, si tout n'est que constellations ?

Si le «grand tout» est un gros foutoir aléatoire et que notre cerveau a besoin de ces béquilles pour être capable de fonctionner, ben OK ! Qu'on crée des constellations pis qu'on foute des noms dessus ! Au moins, on va pouvoir mettre le ciel sur une mappe pis savoir à peu près on est où sur l'océan !

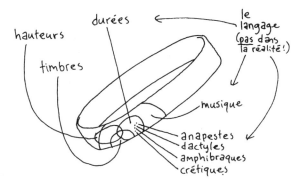

durées ← le langage (pas dans la réalité !)

hauteurs

timbres

musique

anapestes
dactyles
amphibraques
crétiques

Ce chapitre est incomplet, et il n'est pas super clair.

Je veux dire que je suis beaucoup plus sensible, plus consciente de quelque chose si je suis capable de le nommer.

Mais en même temps, dès que je mets un mot sur quelque chose, je l'emprisonne ! Je le balise ! Je l'interprète ! Il devient une idée, une invention de mon esprit.

Je sais que le vocabulaire ne représente pas la réalité; ce n'est qu'une organisation de celle-ci.

Des notes.

Mais plus le vocabulaire est précis et varié, plus la plage est petite sur le continuum.

Une figure rythmique !

Si on sait nommer beaucoup de petits regroupements, j'imagine qu'on peut aussi en voir plus !...

Une anapeste !

Pour moi, la connaissance, c'est pas découvrir des nouvelles étoiles; c'est découvrir des nouvelles constellations.

...

Je reviens là-dessus à la fin du prochain chapitre.

Pa!

Mal nommer?

J'aime beaucoup Albert Camus! Il a l'air ben blood!

Allo!

En plus, sa façon de penser, je la trouve étonnamment actuelle.

Les cossins qu'il a écrits dans les années cinquante, ça aurait très bien pu être écrit aujourd'hui, j'ai l'impression.

Mais voilà: à un moment donné, je suis tombée sur une citation de lui:

« MAL NOMMER LES CHOSES, C'EST AJOUTER AU MALHEUR DU MONDE. »

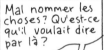

Mal nommer les choses? Qu'est-ce qu'il voulait dire par là?

Pis qu'est-ce qu'il considère comme le malheur?

J'ai essayé de trouver la référence pour avoir le contexte de la citation, mais j'ai rien trouvé.

clic clic

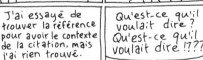

Qu'est-ce qu'il voulait dire? Qu'est-ce qu'il voulait dire !???

C'est pas un peu ironique qu'il condamne le fait de mal nommer les choses, en employant des mots hyper pas clairs !???

(ça ne lui ressemble pas)

J'aurais dû demander à Pierre Bouchard

(il sait tout)

Voyons voir.

Mais l'autre problème, c'est: si un nom est inapproprié, tu le remplaces par quoi?

«Égalitarisme»? C'est trop vaste, trop extrême, et de toute façon, ça désigne déjà autre chose.

Alors on fait quoi? On invente un autre mot pas rapport? Genre le «bliponisme»?

Mais comment juger si le nom est meilleur? D'après les conséquences potentielles?

Comment juger si une conséquence est positive ou négative??

Juger si quelque chose est «bon» en imaginant les possibles conséquences?

Ooooh le futuuurrr je vois je voiiiis....

(méthode douteuse)

Beeeeeeeeeeeeeeeeeeeu.

Peut-être qu'il voulait juste dire qu'il fallait être plus rigoureux dans la définition qu'on donne aux mots?

Ça me rappelle une anecdote.

On était dans le char à Prévost pour un festival de B.D., Luc, Sam, Sophie et moi.

Yéééé!

Sophie affirmait que «médiocre», ça signifiait «quelque chose de moyen».

Donc, «mauvais», c'est pire que «médiocre».

Han! Ben non! Médiocre, c'est le fond du baril, c'est bien pire que «mauvais»!

C'est vrai, «médiocre», c'est pire!

Sam était d'accord

On était deux contre une pis on se foutait un peu de sa gueule. (Ben surtout moi.)

On te pardonne, tu viens juste de finir ton secondaire.

Gn.

Le lendemain ou je sais plus, je reçois un courriel de Sophie qui me dit:

Sophie Bédard
À moi ▾

Bon je sais pas si tu te souviens de notre discussion mais HA J'AVAIS RAISON : http://fr.wiktionary.org/wiki/m%C3%A9diocre
médiocre = moins pire que mauvais
(Je me souviens même pas pourquoi on discutait de ça)

Han! Elle avait raison!

Mais on était deux contre une dans le char!

Peut-être que Sam et moi, on est les deux seuls twits du pays, mais admettons que 80% de la population utilise le terme «médiocre» en pensant que c'est pire que «mauvais», même si le dictionnaire dit l'inverse; par l'usage, est-ce que ça ne devient pas la définition consensuelle, culturelle du mot?

Quand est-ce qu'une définition est bonne, quand est-ce qu'une définition est mauvaise?

Je vais vous donner un exemple de mot qui a longtemps été mal défini dans ma tête :

LA MUSIQUE.

J'ai commencé à apprendre la théorie musicale avec ce petit livre vert, la «Théorie de la Musique» de Vincent d'Indy.

Je n'aime pas trop ce livre, mais il représente bien la manière conventionnelle d'enseigner la musique (occidentale de tradition classique) au niveau collégial, ici au Québec, et probablement aussi en Europe francophone.

Le livre commence de même :

Théorie de la Musique

Q. Qu'est-ce que la musique ?
R. La musique est l'art des sons.

La musique est l'art des sons. Ben oui, ça se tient.

Qui viendrait contester cette définition-là ? La musique est l'art des sons! Évidemment!

On continue à lire le livre de théorie, on continue ses études, on se rend même jusqu'à la maîtrise et on remet pas en question cette définition-là.

la cocarde de salon/festival

Québec
Angoulême
SLM
Trois-Rivières
St-Malo
Niort
Bastia

Au début je les gardais toutes! C'était précieux!

Astheure y a moins de magie.

Plus le temps file, plus je me rends compte que je découpe mes bandes dessinées à peu près de la même façon que j'écrivais de la musique quand j'étudiais en composition.

Je me rends bien compte que c'est l'aspect _temporel_ qui me fait le plus triper dans la bande dessinée. Le timing, le découpage, la forme...

Chris Ware disait que pour lui, y avait pas grand différence entre une bande dessinée et une partition de musique.

Allo !

Chris Ware

Je l'expérimente moi-même dans mon album «Les deuxièmes»; pour moi, la partition de baise se découpe exactement comme si c'était ou bien une bande dessinée, ou bien une partition de musique.

Ce sont des signes organisés dans le temps...

J'ai le feeling d'avoir trouvé quelque chose à mi-chemin.

La musique, l'art des sons !???

Come on, Vincent d'Indy !

Ce qu'il manque dans cette définition, c'est une quelconque allusion au TEMPS.

Mais si je BOUGE !!......

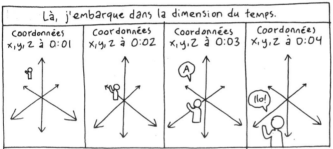

Mais si je peux me balader librement dans les premières dimensions, je peux pas aller plus dans le futur ou plus dans le passé!

Le temps ne va que dans une seule direction. Je ne peux pas revenir en arrière!

Le temps, c'est un paramètre sur lequel on a absolument

AUCUN CONTRÔLE

et ça, c'est VRAIMENT RUSHANT.

Pourquoi qu'on aime tellement ça, l'art ?

Je crois que c'est parce que c'est une organisation du chaos.

On vit le chaos tous les jours, et c'est pas facile.

Je comprends pas ce qui m'arrive.

Est-ce que je fais les bons choix ? Qu'est-ce qui va m'arriver demain ? Pourquoi je ne comprends pas les autres ? Quel est le sens de ce qui m'arrive ?

Chaos reigns !

Quand je consomme de l'art, je suis confrontée à comment quelqu'un d'autre a pris plein de petits morceaux de chaos...

... et en a fait une organisation cohérente.

C'est quelque chose que je trouve apaisant, voire réconfortant.

Enfin ! Un sens*!

* Un sens qui n'est pas nécessairement celui du créateur !...

A) SENS

B) SENS

Une personne moins sensible à l'art, c'est peut-être juste quelqu'un qui perçoit moins l'organisation.

Ça existe, c'est correct !
Moi-même, je comprends pas tout ; comment je pourrais lui en vouloir ?

Pollock

Mon petit neveu peut faire pareil.

Pourquoi ces deux concepts ont-ils le même nom ?

Dans la vie de tous les jours, mon cerveau fait des constellations à partir de ce qu'il perçoit dans le présent, mais il a du mal à faire des constellations dans le temps.

mémoire de marde

Non seulement la musique crée des points d'ancrage dans le temps, mais elle crée aussi un système de «tension-résolution»...

♪ do – ré – ♪ mi – fa...

...qui rend l'organisation plus ou moins PRÉVISIBLE.

♪ ... sol – la
♪ si.... ♪

do

Si la musique est fondamentale pour nous, c'est peut-être parce qu'elle se base sur l'outil de référence qui nous permet avant tout autre outil de nous situer dans le temps: le battement du coeur.

LA PULSATION

Un coeur humain au repos bat à peu près 70 fois par minute.

(Est-ce étonnant que ce soit si près de la seconde, à 60 battements par minute, notre unité temporelle de base?)

Si nous étions des hamsters,

notre coeur battrait de 200 à 500 fois par minute; notre musique ne serait pas la même du tout!

Quelle est la musique des hamsters?

Quelle est la musique des arbres?

Bon, ça, ça veut dire que les tounes qui ont pas de beat sont moins organisées?

PAS DU TOUT!

Tu peux pas faire de headbanging sur «Prélude à l'après-midi d'un faune» de Debussy, pourtant, c'est vachement organisé temporellement!

aucune pulsation perçue

L'organisation temporelle se trouve à beaucoup de niveaux en même temps dans la composition...

... et dans l'interprétation aussi!

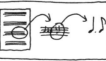

Des recherches ont été faites en psychologie cognitive* à propos de ce qui fait l'expressivité dans l'interprétation d'un pianiste.

* Daniel Levitin! ♥

Le piano est un instrument quand même assez limité.

Quand il joue, le pianiste a quatre décisions à prendre:

1o Quand est-ce qu'il appuie sur une note

2o Quand est-ce qu'il lâche la note

3o La vitesse d'attaque (son doux / son fort)

4o Quand est-ce qu'il met de la pédale

Ce dont ils se sont rendu compte, c'est que la différence entre un pianiste professionnel et un pianiste amateur, c'est oui, la sonorité (le timbre) et les nuances, mais c'est avant toute chose une question de <u>timing</u>.

Des notes une microseconde plus longues ou plus courtes viennent mettre du highlighter jaune fluo sur la forme, le phrasé, bref: l'organisation temporelle.

Ceci est une fin de phrase!

(Et concernant le timbre et les nuances, oui c'est d'être capable de les faire, mais c'est surtout de choisir <u>quand</u> les faire.)

Allez écouter le thème (l'aria) des « Variations Goldberg » de J.-S. Bach, joué par <u>Glenn Gould</u>

pour entendre un très très bon exemple

Du point de vue de la composition, organiser la prévisibilité n'est pas une chose facile.

(Dans la scénarisation non plus!!)

Déjà, la prévisibilité peut se trouver sur beaucoup de niveaux.

forme: couplets? refrains?

phrase: antécédent? conséquent?

rythme: syncopes?

changement de registre? de timbre? de rythme harmonique?...

Si quelque chose est trop prévisible, ça va être dolle.

C'est tout le temps la même affaire! C'est interminable!

Si quelque chose est pas assez prévisible, ça va être dolle.

C'est n'importe quoi et c'est interminable.

C'est un extrait d'une toune de Webern, ha ha!

La musique est l'art des sons.

Si le TEMPS est le paramètre fondamental de la musique, je peux pas accepter cette définition-là!

La m...

La musique est l'organisation des sons dans le temps.

Voilà!

NON! ATTENDS! Cette définition-là peut encore induire en erreur parce qu'elle nomme le son avant le temps!

On pourrait croire encore que c'est le son, le paramètre fondamental!

Tsé, c'est quoi le son? C'est la variation de la pression de l'air dans le temps, peut-être?

(un la = 440 vibrations par seconde, par ex.)

OK...

La musique est l'organisation du temps à l'aide de sons.

Yeah!

Donc, la musique, c'est peut-être l'organisation du temps à l'aide de la pression de l'air! Ha ha!

C'est un peu moins sexy que « l'art des sons ».

Ça explique pourquoi on peut dire des autres arts qu'ils sont « musicaux » : c'est quand l'on trouve une certaine forme d'organisation temporelle à plusieurs niveaux (donc, rien à voir avec le son).

Les hauteurs aussi ont une importance: ça semble avoir rapport avec la voix humaine

(à développer dans un autre livre),

et je soupçonne que c'est un paramètre moins important* que le paramètre temporel.

hauteurs

temps

* Définir « moins important ».

La poésie peut être très musicale, si les mots choisis font ressortir une certaine organisation temporelle, un certain rythme cohérent.

ÉPIGRAMME

Si j'avois [foutu] la beauté
Que vouloit adorer mon ame,
Je pourrois dire en verité
Qu'appaisant l'ardeur de ma flame

J'aurois mis la gloire à l'envers,
Et penetrant dedans son centre,
Foulé, non des pieds, mais du ventre
L'arrogance de l'univers.

ANONYME, 1625

Évidemment, la danse et le cinéma peuvent l'être (sauf qu'ils sont souvent déjà supportés par une trame musicale).

Même une peinture peut être musicale. On parle parfois de son « rythme »: ça fait référence au temps que prend l'oeil pour parcourir un certain chemin.

Cependant, le terme « musical » est moins associé à l'image parce qu'elle reste statique dans le temps.

La bande dessinée peut être musicale puisqu'on peut la rythmer dans la grande forme, au chapitre, à la page, à la bande, à la case.

temps = espace !

Sinon, pour moi, l'art le plus musical reste le dessin animé abstrait, où t'as pas le choix d'organiser tes images à la frame, image par image.

Norman McLaren est un grand ← musicien !

Mais y a que la musique qui exprime une organisation temporelle aussi stricte, parce qu'elle se construit à partir d'une référence, très ancrée dans le temps: la pulsation de notre coeur.

♪ BACKSTREET'S ♪
♪ BACK ♪ ♪
♪ ALL RIGHT! ♪

Bon, je rappelle la question de départ: est-ce qu'une mauvaise définition ajoute au MALHEUR DU MONDE?

Je sais pas si ma nouvelle définition de la musique va changer quelque chose dans ma manière de recevoir la musique, mais elle va certainement changer quelque chose dans ma manière de l'enseigner.

Si tu veux enseigner la musique à un enfant (ou à un adulte), montre-lui à tapocher avec une cuillère avant de lui montrer c'est quoi une gamme!...

Alors voilà... j'apprends à nommer les choses, je deviens plus consciente de ces choses...

C'est une dominante secondaire !

Mais quand on nomme quelque chose, on le restreint. On le catégorise. Ça devient une idée.

Ça va être difficile pour moi d'entendre autre chose qu'une dominante secondaire.

En ce sens, je ne crois pas qu'on puisse « mal nommer » quelque chose. C'est un choix de dénomination parmi d'autres.

Pour moi, c'est pas à l'émetteur de devoir « bien parler », mais plutôt au récepteur de devoir « bien écouter ».

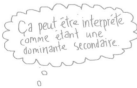

Ça peut être interprété comme étant une dominante secondaire.

Si j'avais pas eu en tête la définition du livre vert, j'aurais peut-être pensé la musique autrement...

Brûle, petit livre vert !

Avoir une vue d'ensemble aurait peut-être été plus facile...

le temps

J'enseignerais peut-être mieux aujourd'hui...

Le temps !

La mauvaise définition me faisait focaliser sur le son plutôt que sur le temps, c'est ça mon malheur, peut-être !

Dans ce cas-ci, c'est pas si pire, mais imagine si ma définition du « succès » me faisait focaliser sur l'argent ou la reconnaissance, je serais ben malheureuse !

Un commentaire très orwellien que j'ai eu, aussi : mal nommer, ça peut vouloir dire « changer un nom pour changer une perception » !

Qu'est-ce qui arrive quand « bombardement » devient « frappe aérienne » ? Quand « victimes civiles » devient « dommages collatéraux » ? Quand « vidéo-surveillance » devient « vidéo-protection » ?

La chose reste la même, mais la perception qu'on en a va être vachement différente !...

On est tellement gentils !

Pourquoi tu penses qu'on appelle des « attaques préventives » les —— ?

Bon. Il paraît que la citation est même pas de Camus.

La citation est pas de Camus, guys !

Mal citer les gens, c'est faire pleurer Jésus.

— Gandhi

60

⟶ Voir le chapitre « Ignorance », à la page 137.

Pratique

Quelqu'un qui ne joue pas de piano pourrait penser que jouer du piano, c'est bouger les doigts. Après tout, si tu veux actionner le marteau qui va frapper la corde, il faut bien abaisser un doigt, non?

En vérité, au piano, ça va tellement vite que t'as pas vraiment le temps de gaspiller de l'énergie à baisser ou relever les doigts. Si tu veux aller très vite, il est préférable de bouger les doigts le moins possible!...

Bien entendu, il existe beaucoup d'écoles de pensée, de techniques, de manières d'aborder l'instrument différentes, mais en tout cas, avec ma pratique personnelle, j'ai vite fait la constatation que jouer du piano, c'est pas du tout une affaire de doigts- c'est encore plus évident dans le cas du trille.

Le trille, c'est une sensation. Le mouvement est tellement petit qu'il est difficile à montrer à quelqu'un d'autre, à mettre en mots: faut le ressentir.

Une fille qui sait pas vraiment triller essaie d'apprendre au monde à triller à partir de ce qu'elle a trouvé sur YouTube

clap
clap
clap
clap
clap
clap
"M"

D'abord, j'essaie autant que possible d'utiliser deux doigts qui ne sont pas voisins.

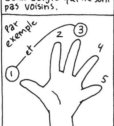

Par exemple

et 1 2 ③
4
5

J'imagine ma main comme si c'était un Y, comme un slingshot, avec une légère courbe vers l'intérieur.

Quand je me place au piano, plutôt que de bouger les doigts, je pense plutôt à un mouvement de rotation.

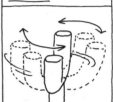

Je shake ma main comme si j'ouvrais une poignée de porte. Les doigts ne bougent pas vraiment.

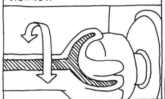

Le mouvement de rotation est très petit; la touche enfoncée ne relève même pas au complet avant d'être enfoncée à nouveau.

Les deux notes ne sont jamais vraiment relâchées au complet

C'est même pas un mouvement tellement c'est petit:
c'est un état d'esprit.

Mon bras doit pas non plus être un bloc de béton! Tout doit rester sans efforts.

zen

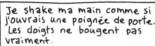

Mais un trille, quand on est pas habitué, c'est toujours un peu stressant.

faut pas que je rate mon trille. faut pas que je rate mon trille. faut pas que je rate mon trille

PU ZEN

Pis quand on stresse, le bras crispe et le mouvement millimétrique du trille devient impossible et on stresse encore plus, etc.

AAAAAAARG

PU ZEN PANTOUTE

ce que tu voudrais: tr⁓⁓⁓⁓⁓
ce qui se passe: tr⁓⁓⁓⁓⁓

Voilà: à partir du moment où tu comprends physiquement la sensation du trille, ça t'ouvre à une nouvelle façon de penser le piano. Ce n'est plus juste une affaire de doigts; c'est une affaire de poids, de mouvement, de moule, d'état mental, de millions d'autres choses. Tu en viens à te poser des questions sur la manière dont fonctionnent tes muscles, ta respiration, ton esprit, etc.

La même affaire avec le dessin!

Les choses ne sont pas difficiles pour rien!
Il y a une raison! (Au moins une.)

C'est pour ça que je préfère pratiquer le piano ou dessiner de manière active, autant que possible. (Ça, ça veut dire de dessiner sans écouter de musique... J'essaie de le faire souvent, mais je le fais pas assez.)

SILENCE!
FOCUS!

Voir le commentaire d'Antonin Buisson (page 185)

Ça me rappelle l'autre jour, chez Delf.

Faque c'est ça qu'on a faite.

Dans un livre que j'ai lu y a pas longtemps, ça disait qu'on aurait deux types de mémoire :

<u>La mémoire déclarative</u>

(la mémoire des noms, des dates, des faits...)

<u>La mémoire procédurale</u>

(comment faire du vélo, comment dessiner une voiture, comment jouer telle toune de Bach...)

(Le livre date un peu et c'est probablement assez grossier; mais admettons-le juste pour le fun.)

(c'est un cerveau)

Je nomme des choses !

Je fais des choses !

Si quelqu'un me montre quelques règles de perspective, je risque de comprendre !

Ça va être rentré dans ma mémoire déclarative, mais pas dans la procédurale, qui se passe de mots, qui est plus complexe !

J'ai besoin de faire un dessin en perspective, de le refaire, de le refaire, de me tromper, d'ajuster, de montrer quoi faire à mon corps et à mon esprit.

ARTHUR KOESTLER
Le cheval dans la locomotive

↓

Voir le commentaire de Saturnome (page 195)

Je me dis que c'est un peu comme s'il y avait un savoir théorique et un savoir pratique. Jusqu'à un certain point, la connaissance théorique est un acte de foi; je lis une B.D. qui m'explique comment faire un trille, Delf m'aurait expliqué «toooute la vie de la peinture», un prof d'université me montre tel ou tel truc théorique : <u>je les crois</u>.

Mais ça reste un acte de foi.

On dit pas à un enfant «regarde, ceci est une chaise» ou «ceci est un dessert»; on lui dit «assieds-toi sur la chaise» et «mange tout sinon t'auras pas de dessert». Il admet que ceci est une chaise et que ceci est un dessert sans jamais l'avoir vraiment formulé. Ça n'aurait pas de sens qu'il réponde : «Maman, es-tu sûre que c'est bien une chaise?», ça n'aurait pas de sens de douter : il croit.

De la certitude
Ludwig Wittgenstein

Ce qu'on apprend d'abord, c'est comme une norme, un point de départ des choses qui est sujet à des modifications par la suite. Les adultes m'ont transmis leur savoir empirique* et c'est ainsi que j'apprends les choses: je les crois.

La Terre est ronde.

La Terre est ronde.

*Vraiment?? Mes professeurs ont-ils déjà vraiment vérifié eux-mêmes que la Terre était inclinée ou que le mont Blanc mesurait 4810 mètres?

Quand je «crois» quelque chose, ce n'est pas un axiome isolé que je crois: c'est un système complet dans lequel les conséquences et les prémisses et tout ce que ça implique forment un tout cohérent qui marche ensemble.

Ceci est du chocolat et ça va goûter le chocolat.

L'enfant apprend en croyant l'adulte.
Le doute vient après la croyance.

Le mont Blanc mesure 4810 m.

4810 mètres à partir de quoi? C'est quoi le 0?

C'est le niveau de la mer!

Super, mais il y a les marées, qui varient différemment à tel ou tel endroit...

Comment créer un standard à partir d'une référence en mouvement?

On se réfère à telle place dans le monde.

Les mesures sont de quelle année? Les cycles sont-ils vraiment toujours les mêmes?

On fait une moyenne. Ça nous donne une référence imprécise, mais elle nous permet de comparer la hauteur des montagnes.

Devant la pratique, la croyance craque; ça devient quelque chose de plus complexe. Si je grimpe dans un arbre frêle, la branche brise et je tombe. Je me fais mal à la cheville et je braille.

crac

ouaa aa aa aah

Maintenant, je sais.

Ce savoir empirique vient détruire une ancienne conception théorique, comme: «Un arbre est solide.»

Ça me permet de redéfinir ce que je sais des arbres.

Pis la nouvelle définition va rester jusqu'à ce que je me pète la yeule encore (oui, parce que pour redéfinir, il faut une raison!...).

Si la théorie est une croyance et la pratique un savoir, il n'en reste pas moins que la pratique, stie que c'est toffe.

Quand je lis un livre sur la typographie, mon esprit s'illumine ! Je comprends !

Je suis contente et je ne me mets même pas mise en danger ! Je catche l'UNIVERS !

Mais je me mets à ma table à dessin : je peux rater.

« Je peux rater » ? Nan : je VAIS rater !

Selon une théorie, ça prendrait 10 000 heures de pratique dans un domaine avant de pouvoir vraiment dire que tu le « maîtrises ». Ça, ça veut dire que pendant les 10 000 premières heures, tu vas forcément rater 90% de ce que tu essaies de faire !...

C'est pas encore ça...

C'est pas encore ça...

10 000 heures, à 40 h/semaine (mettons), c'est 250 semaines, ça fait 4,8 ans — mettons 5 ans. Full time ! À rater des affaires !!!

Le plus déprimant, c'est que même après 5 ans, je suis sûre qu'on a pas tant l'impression de « maîtriser » quoi que ce soit.

C'est pas encore ça...

Pourquoi je continue ?...

Hmm...

Peut-être parce que quand j'entraîne ma mémoire procédurale, toute finit par venir un peu tout seul et c'est comme de la magie ! ——— ✡

En 2011, lors d'une conférence à Métropolis bleu, Jimmy Beaulieu avait dit à peu près ceci:

Avoir une pratique régulière de carnet*, ça crée une espèce de répertoire. Après, on peut piger dedans !

Je me souviens surtout du mot qu'il avait choisi: le mot «répertoire».

C'est un mot que j'avais toujours associé à la musique: c'était «l'ensemble des tounes que je sais jouer».

Je le prends aujourd'hui dans un sens plus large: le sens du mot «archives».

*Dessin d'observation

Voir le commentaire de Réal Godbout (page 221)

Je connais quelques personnes qui traînent leur petit carnet et qui dessinent tout ce qu'elles voient, pis je suis toujours un peu envieuse quand je les vois, parce que je n'ai pas assez d'intérêt pour avoir envie de dessiner tous les jours — ou pour développer l'envie de dessiner tous les jours.

Le dessin d'observation, je le vois comme les gammes ou les exercices techniques au piano.

dessine dessine

Ya un trip semblable. L'objectif est clair. Tout s'imprime quelque part dans ta tête sans que tu t'en rendes compte.

(C'est peut-être parce que je vois ça comme un exercice, et non comme un plaisir, que j'ai pas envie d'en faire ?...)

D'la bouette.

D'la bouette.

C'est la même chose, je crois, quand on est compositeur et qu'on repique de la musique (repiquer = retranscrire sur une portée). Quand on retranscrit une musique déjà existante, on plonge dans une observation active des problèmes compositionnels et de leurs solutions. Après, quand on écrit notre musique, certaines de ces solutions nous apparaissent. Je crois pas qu'il faille s'empêcher d'emprunter des solutions des autres compositeurs (surtout morts!), pas plus qu'on se prive de regarder des photos ou les dessins des autres comme références graphiques.

Pascal Girard disait un jour (en 2010):

⟨Lequel ressemble le plus à Pascal ?⟩

Voir le commentaire de Pascal Girard (page 171)

L'équivalent en dessin d'une gamme en tierces ou d'une gamme avec des rythmes pointés (en d'autres mots, un exercice où l'on augmente le niveau de difficulté pour faire travailler un geste très précis qui rushe), ce serait peut-être de se donner des défis de dessin d'observation.

Le carnet, ça pourrait être comme des gammes.

Mais les dessinateurs ne sont pas aussi pragmatiques que les pianistes.

Je veux me construire un répertoire. Je veux faire du carnet!

Huit mois plus tard, le Moleskine est rempli. Je le feuillette et je constate amèrement qu'il n'y a QUE DES NOTES ET À PEU PRÈS PAS DE DESSINS.

Est-ce possible de se créer de l'intérêt?

Comment?

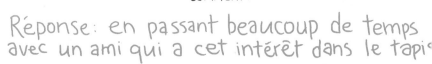

Réponse: en passant beaucoup de temps avec un ami qui a cet intérêt dans le tapis

Règles

J'ai jamais eu de problèmes avec les règles. J'aime même ça!

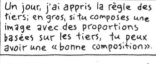

Un jour, j'ai appris la règle des tiers; en gros, si tu composes une image avec des proportions basées sur les tiers, tu peux avoir une «bonne composition».

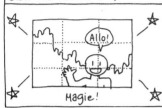

Allo!

Magie!

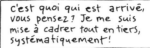

C'est quoi qui est arrivé, vous pensez? Je me suis mise à cadrer tout en tiers, systématiquement!

Quand j'étudiais en musique, dans mes cours d'écriture tonale, il y avait beaucoup de règles.

Par exemple, c'était interdit d'écrire des quintes consécutives. Les profs disaient:

mon devoir

Ça sonne dur!

Quand je suis devenue auxiliaire et que je corrigeais les travaux d'étudiants, je devais mettre du rouge dessus!

– 5 points! C'est mal!

Pendant toooooutes mes études, à chaque semaine, dans chaque devoir, je devais faire attention à ne pas écrire de quintes consécutives.

Mon soprano est malade! Mais ça me fait faire des putain de quintes consécutives avec le ténor, AAAAAAAAAAAARG!

On a véritablement été conditionnés à les reconnaître et à trouver ça moche.

Leur devoir

Ça sonne dur!

Cette règle-là n'existe pas pour rien. C'est d'abord acoustique, puis stylistique.

En contrepoint classique, on pense la musique comme si plusieurs personnes chantaient en même temps leur mélodie indépendante.

Si quatre personnes chantent et que deux d'entre elles chantent trop la même chose, on n'aura plus l'impression d'entendre quatre personnes, mais trois.

La quinte juste est un intervalle très consonant; quand il y a deux quintes de suite, on entend trois voix et non quatre: ça amène un changement de texture.

Tiens, la texture est moins épaisse.

Pour conserver l'indépendance des voix et pour garder une texture constante, on empêche les étudiants de faire chanter 2 personnes à intervalle de quinte juste pour 2 notes de suite.

OK!

)5)5 = quintes cons.

Non!

(il y a beaucoup de "fautes" dans cet exemple)

Pfff... C'est d'la marde. Moi, je suis CONTRE LES RÈGLES. C'est trop contraire au ~feeling~.

Ouais mais ces règles-là ont justement été écrites à partir du feeling...

Je sais que personne va aller lire ça au piano.

(C'est pas grave!)

Les règles esthétiques du genre, tout comme les règles de français, sont définies A POSTERIORI.

Mais un changement de texture, ça peut être utile, dans une toune, des fois! Si je change de section? Si je veux mettre le spotlight sur quelque chose?

Si la règle des quintes consécutives, c'est de la grosse marde, si la règle des tiers, c'est n'importe quoi, devrait-on abolir les règles ??

Il y a tout de même une différence entre connaître une règle, la comprendre et la suivre. Il faut l'avoir appliquée pas mal de fois pour saisir sa logique. Une fois la logique intégrée, il n'en tient qu'à nous de la suivre ou pas.

On en vient à la question à 10 000 $:

Voir les ← commentaires de :

• Guillaume Pelletier (page 179)

• Luc Bossé (page 181)

COMBO!

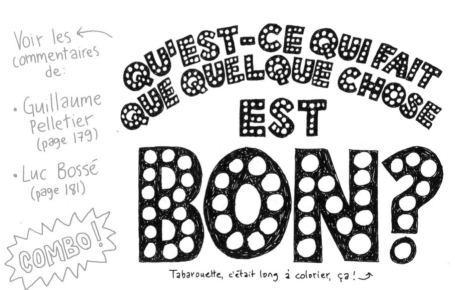

Tabarouette, c'était long à colorier, ça ! ↱

Bon, pour commencer, j'aimerais répondre à la question
«Quoi faire pour que les gens trouvent mon oeuvre bonne?».

Un gars est amoureux d'une fille qui tripe sur un auteur de romans.

Kunderaaaah!

Le gars va lire l'auteur avec un a priori favorable; il a pas mal plus de chances d'aimer ça.

Une fille vient de se faire siffler sur la rue et elle l'écrit dans un statut rageur sur Facebook, parce que ça fait mille fois et qu'elle est en crisse.

Le roman de Boris Vian qu'elle est en train de lire va vraiment lui tomber sur les nerfs, parce que tous les personnages féminins sont FUCKING CREUX.

Une fille vient de passer un après-midi au chevet de son père, qui est gravement malade.

Le soir, le film qui passe à la télé sur une relation père-fils va particulièrement la toucher.

Un gars qui vient de sortir son premier album de chansons se fait ramasser par un critique, qui l'étiquette «un peu niais».

La toune qui passe à la radio, que le même critique a encensée dans le même article, va lui sembler super prétentieuse.

Une oeuvre arrive à la bonne personne au bon moment?...

« La beauté est dans l'oeil de celui qui regarde », dit-on. Le jugement esthétique des autres repose sur des milliards de facteurs sur lesquels on a aucun contrôle. Exemples :

LA PERSONNALITÉ ? **LA SENSIBILITÉ/ L'ÉDUCATION ?** **LE CONTEXTE ?**

Judith est une femme tiraillée, elle aime le tragique. Elle préfère Mahler à Mozart.

PATHOS !

Cette B.D-là est d'une inventivité inouïe au niveau de la couleur, mais l'attention de Jade porte plutôt sur les dialogues.

Ordinaire.

Richard s'est fait sacrer là par sa blonde. Toutes les tounes qui parlent d'amour le font brailler.

♪ Pour que tu ♪ m'aimes encooore

Peu importe si je décide de suivre un paquet de règles ou si je décide de pas les suivre, ça ne changera peut-être pas la manière qu'auraient Judith, Jade ou Richard de percevoir mon oeuvre. Plaire est-il vraiment un critère valable ?

MAIS il doit quand même exister un consensus, non ?

Qu'est-ce qui fait que Jean-Sébastien Bach est resté gravé dans l'histoire, alors qu'on a à peu près oublié Joseph Bodin de Boismortier ?

Plusieurs philosophes/psychologues/artistes/scientifiques se sont penchés sur la question esthétique.

Pendant longtemps, on a essayé de créer des règles esthétiques en regardant les chefs-d'oeuvre de peinture...

Voici la liste des choses qui font un bon tableau !

cool !

"... pis un jour, on s'est rendu compte qu'on avait totalement loupé l'effet énorme que produit le CADRE sur notre perception !

Si on savait les règles pour créer des chefs-d'oeuvre, les chefs-d'oeuvre n'existeraient plus. Il n'y a pas de recette !

Mais ça reste un sujet où il y a des tonnes de choses intéressantes à entendre...

Bon goût

À un moment donné, au festival de B.D. de Québec en 2014, je demande à Boulet :

Selon toi, c'est quoi un « bon livre » ?

Ah tu sais, j'ai mon espèce de petite théorie.

Et là, il me dessine un petit tableau

V	A	N	S	E

Voilà, ce sont les éléments qui vont faire que tu aimes une bande dessinée.

Ah mais je parlais pas spécifiquement de B.D. !...

Moi je te parle spécifiquement de B.D.

Ok.

Chaque lettre représente un critère : Virtuosité du dessin, Ambition de l'histoire, Narration, Subjectivité, Empathie.

L'ordre des lettres, c'est l'ordre de perception. On voit le dessin, on parle de l'histoire, on « ne voit pas » la narration, elle nous porte.

VAN

Et les deux derniers sont magiques et irrationnels.

SE

V Virtuosité du dessin (forme)

On peut avoir des bonshommes patate comme quelqu'un qui sait dessiner une cathédrale gothique en perspective avec tous les reflets sur les vitraux et la profondeur atmosphérique.

XKCD → Moebius

A Ambition de l'histoire (fond)

La différence entre un livre qui raconte l'histoire intimiste d'un gars qui cherche sa chaussette et une histoire d'espionnage international avec des terroristes des Balkans.

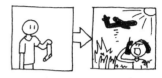

J'ai essayé de reproduire une image tirée du film « les maîtres du temps »!

Il avait passé une couple de fois à "Ciné-cadeau" quand j'étais petite et ce film me faisait très peur!

N Narration (forme)

C'est l'art de «raconter bien». Tu peux raconter bien un truc sans intérêt et le rendre intéressant. C'est savoir faire des ambiances, savoir doser les dialogues, savoir découper, mettre les bulles dans le bon ordre...

La cohérence, aussi; avoir un ensemble qui tient la route, que les ruptures de ton ou de rythme soient justifiées...

S Subjectivité
(ni fond ni forme)

Ce qui fait qu'on a été influencé par un autre critère pour aimer ou non un livre.

Aimer une chanson de merde car tu l'as entendue avec quelqu'un que t'aimes.

Aimer Boule et Bill simplement parce que « je le lisais quand j'étais petit».

E Empathie (forme)

Certains dessins sont plus attirants que d'autres: une sorte de subjectivité de masse, qui fait que si tu demandes à un million de personnes, les gens choisiront plutôt Pixar que Goossens, visuellement.

Pixar → Goossens

Désolée, je ne suis pas capable de reproduire du Goossens (du Moebius non plus, d'ailleurs).

La scène des hommes ailés pas de face qui souffrent et se pognent la tête... imagine voir ça à 6 ans!

Le dessin peut être virtuose ou non, les deux peuvent être bien. Le livre peut être de n'importe quelle ambition, intimiste ou épique, les deux peuvent être bien. Mais le livre ne peut pas être bien ou mal raconté: s'il est mal raconté, il ne marchera pas. La narration doit être fluide, c'est le pilier central.

↳ Tout ce texte est de Boulet

Ha ha! C'est vraiment chouette!...

Mais bon, ça veut dire qu'il faut surtout avoir une bonne narration?...

...

C'est quoi, une bonne narration?

Elle est pas pire, la théorie de Boulet, mais j'ai l'impression qu'elle contient plus de questions que de réponses.

Trois critères de forme pour un seul critère de fond?

Anyway, le vieux modèle «fond VS forme» m'apparaît de moins en moins pertinent.

Pis c'est pas vraiment des critères. C'est des observations. «Le dessin est virtuose», comme si je disais «mes cheveux sont bruns»...

Ça ne répond pas à ma question: «C'est quoi un bon livre?»

Voir le commentaire de Julie Delporte (page 203)

Et puis je cherchais quelque chose de plus fondamental, qui pouvait <u>aussi</u> s'appliquer à la musique...

Et un jour, j'ai eu un flash:

Il faut que je demande à GRAVES!

J'ai étudié en dessin animé un an. Il y a un de mes profs que j'aimais bien, Dan. Il devait bien m'aimer aussi parce que quand je lui ai dit que j'abandonnais le programme, il m'a accrochée par le collet et m'a dit :

Toi, avant que tu partes, je veux te montrer des affaires !

Voir le commentaire de Richard Suicide (page 211)

« Dan ressemble à Descartes ! »

—Boum

Alors on s'est assis dans le bunker, il a sorti ses Col-Erase bleus et il m'a montré des affaires.

Les 7 éléments du design, les principes fondamentaux, des règles esthétiques...

J'avais jamais vu ça. J'étais pas encore rendue là. Ça s'est stocké quelque part entre mes deux oreilles.

Là

Des années plus tard, ça re-poppe.

Ah, c'était quoi déjà ? Me semble que c'était cool !

La feuille sur laquelle il m'avait montré tout ça, je l'avais pas jetée. Je savais que je la ressortirais un jour.

Salut Dan ! Je sais pas si tu te rappelles de moi. Voudrais-tu me réexpliquer ta théorie du design ?

tap tap

Il m'a accueillie dans la salle des profs et m'a tout expliqué une deuxième fois.

C'est quoi le titre du livre où t'as appris ça ? Je le veux.

Ouf, tu le trouveras pas, ça existe plus...

Je l'ai trouvé sur Internet en cinq minutes.

Maitland Graves : «The Art of Color and Design»

QUE DIT MAITLAND GRAVES?

C'est un peu scolaire, mais c'est le fun.

Ce livre date de l'Amérique de 1951 et on le sent bien. Amérique triomphante, puissance mondiale, droiture morale, vent en poupe: on dit « il faut ».

Ça a été écrit à une époque où l'on ressentait encore l'onde de choc de Freud et Jung quant au regard de l'homme sur lui-même.

Bref.

Selon lui, il y a 7 éléments de design fondamentaux:

Là où ça devient plus intéressant pour moi, c'est lorsqu'il parle des PRINCIPES DU DESIGN, puisqu'il affirme que ces principes-là sont applicables à n'importe quelle forme d'art, que ce soit dans l'art de l'espace (peinture, sculpture), l'art du temps (musique, poésie) ou l'art de l'espace-temps (danse, cinéma ou — il la nomme pas mais moi je le fais — bande dessinée).

Ces principes-là sont fort probablement encore enseignés dans les écoles d'art et de design:

UNITÉ
CONFLIT
DOMINANCE

<u>Unité</u>: ce sont les lignes que je trace entre les étoiles.

Je me mets au piano, je me bande les yeux et je joue n'importe quelle note avec n'importe quel rythme.

Tu vas chercher les patterns, tu vas chercher à regrouper les notes pour créer une cohérence...

... mais vu qu'y en a pas, ça va te sembler « n'importe quoi ».

OK arrête de jouer S.V.P.

— Ça manque d'unité!

L'unité, c'est sentir une cohérence dans un ensemble.

un élément peut revenir plusieurs fois, pareil ou varié — ces choses-là « vont ensemble ».

Keeping time, time, time,
In a sort of Runic rhyme,
 To the throbbing of the bells-
Of the bells, bells, bells-
 To the sobbing of the bells;

c'est la première étape de la perception d'une organisation.

Unité par le rythme (pointé + blanches)

Unité par la répétition

Unité par la direction

1. Prélude no 8, CBT I (Bach)
2. The Bells (Poe)
3. Hommes sous la pluie (Hiroshige)

84

Conflit: c'est ce qui pique la curiosité.

Panel 1: Je me remets au piano et je joue toujours la même note à chaque seconde.

Panel 2: Tu vas catcher le pattern rapidement pis à un moment donné tu vas être tanné.

Panel 3: S'il n'y a rien d'inattendu dans ce que tu perçois, c'est plate à mort.

OK arrête de jouer S.V.P.

"Ça manque de conflit!"

Panel 4: Le conflit, c'est le petit quelque chose qui va soutenir notre intérêt.

Contraste rythmique en fin de phrase

Panel 5: Il apporte un changement, une nouveauté.

Keeping time, time, time,
In a sort of Runic rhyme,
To the throbbing of the bells-
Of the bells, bells, bells-
To the sobbing of the bells;

Le mot « sobbing »

Panel 6: Le conflit ne brise pas l'unité, il la renforce; il n'est pas possible sans elle.

Contraste de directions

Dominance: c'est ce qui hiérarchise l'information.

Panel 1: T'aimes la banane et le kiwi égal. et là, tu dois choisir entre une banane et un kiwi. C'est dur !!!

AAAAARG !

Panel 2: C'est plus facile si la banane est un peu poquée ou si le kiwi est plus cher: les deux ne sont plus égaux.

Panel 3: Les choses trop égales seraient difficiles à ordonner pour notre petit cerveau cave.

A   B

Panel 4: On préférerait quand une idée à prédominance sur d'autres.

blanches > rythme pointé

Panel 5: Un élément devient donc subordonné à un autre ou à d'autres...

Keeping time, time, time,
In a sort of Runic rhyme,
To the throbbing of the bells-
Of the bells, bells, bells-
To the sobbing of the bells;

Bells > time

Panel 6: ... et ça aussi, ça renforcerait l'unité.

pluie > terre

Je lis ça et la règle des tiers me revient en tête.

Peut-être que la règle des tiers, c'est juste une simplification de la règle de dominance.

Plus d'espace

Moins d'espace

Ça aurait pu être n'importe quelle fraction plus petite que ½, mais la question « Quelle est la bonne proportion ? » est super contextuelle, et apprendre à un étudiant à reconnaître le contexte, c'est compliqué. Pour rendre ça plus simple, on lui dit : « Découpe en tiers. » Ça lui donnera au moins une base, et plus son oeil sera éduqué, plus il ajustera le tir sans s'en rendre vraiment compte.

(Aussi, le ratio ⅓ se rapproche du nombre d'or mais là j'embarque pas là-dedans sinon j'en finirai JAMAIS.)

(Peut-être une autre fois.)

Pour voir si j'ai compris, je peux passer le « Maitland Graves aesthetic judgment test » !

Ai-je du caca dans les yeux ?

Un peu plus loin dans le livre, il y a aussi le « taste test » !

Un test de GOÛT ??

Ha ha ! Comme dans un magazine féminin ! « Avez-vous du goût ? »

Là, ça devient encore plus intéressant, selon moi : parce que oui, Graves croit dur comme fer que le « bon goût » est quelque chose d'universel, et il défend son point :

« Le goût veut donc dire "le bon goût", ou la faculté d'une appréciation esthétique et d'un certain discernement, possédés autant par l'observateur que par le créateur.

(...)

Good design IS good taste.
Bad design IS bad taste. »

Résumé de ce que Graves en dit:

| Tout le monde a des goûts différents. | Certains ne feront pas la différence entre une bouteille de vin à 10 $ et une à 250 $, et préfèreront le whisky. | On doit faire des choix tous les jours. Quel t-shirt ? Quelle chaise ? Quelle police de caractères ? |

Cuisine italienne VS Cuisine créole

Par en avant VS Par en arrière

| Notre jugement esthétique est influencé par plein de choses: la culture, la religion, l'environnement social... | ... la mode, aussi. C'est difficile de faire confiance à son propre jugement esthétique quand on peut juste suivre l'opinion des autres. | Le goût est bien sûr une question de traditions, mais surtout une question d'éducation. |

| En même temps, ça ne s'enseigne pas: toutes les personnes intelligentes vous diront qu'il n'y a pas de règles au bon goût. | C'est une question de sincérité: qu'est-ce qui est, selon toi, intégré, bien proportionné, clair, logique, direct, efficace ? | Les autres seront peut-être pas d'accord avec ton jugement, mais s'il est sincère, il est ton petit jardin, que tu peux développer et raffiner. |

« Préférer Notre-Dame de Paris au Parthénon ou au Taj-Mahal ne devrait pas faire l'objet d'un différend, parce que chacun est superlatif dans sa catégorie et que notre choix sera basé uniquement sur des goûts personnels plutôt que sur des jugements esthétiques.

Mais préférer Bach au boogie-woogie ou Cézanne à l'art de calendrier, il faudrait reconnaître là-dedans un conflit plus valable.

Si ce n'est pas le cas, alors les standards esthétiques n'ont aucun sens. »

« Les standards esthétiques n'ont aucun sens.»

Je ne trouve pas cette phrase si choquante que ça.

Parce qu'après tout, ce qui me touche, dans une oeuvre d'art, c'est un peu comment je me projette moi-même dedans.

C'est irrationnel. Donc, ça n'a effectivement aucun sens!

Je suis TOUJOURS hyper sceptique quand quelqu'un clame l'universalité de n'importe quoi d'éthique ou d'esthétique.

FUCK LE BOOGIE-WOOGIE !

J'aime le principe «Unité-conflit» de Graves, c'est comme une différente manière de nommer le vieux principe «tension-détente» en musique (j'y reviendrai).

gn!

aaaaah.

Mais son principe de dominance, lui, il est intéressant, mais est-il fondamental ?

Ça me paraît un peu trop occidental pour être universel.

(Mais peut-être que j'ai juste mal compris ?...)

Pouf

Quoi qu'il en soit, j'aime l'idée du petit jardin.

Le «bon goût» peut-il vraiment être universel ? Les standards esthétiques ont-ils un sens ?

L'irrationnel a-t-il un sens ?

Modèles esthétiques

Mouin... analyser l'art selon un standard... j'ai des gros doutes...

Pourquoi ?

Le rythme dans le prélude de Bach, le mot « bells » dans Poe, la pluie dans Hiroshige - le modèle de Graves te fait regarder le détail; t'as pas vraiment de vue d'ensemble.

C'est sûr que j'ai juste montré les 4 premières mesures du prélude de Bach. Fallait que ça rentre dans une case.

(Y a déjà tellement de stock à dire !...)

Mais allons-y, faisons-le, l'exercice ! J'analyse tout*! De la cellule à la structure !

*Mais juste en regardant la complexité rythmique sinon ça va faire 100 000 pages.

page 1

page 2

L'oeuvre

La structure

Le chapitre

Le paragraphe

La phrase

Le phrasé
(la proposition)

La cellule
(le mot)

La note
(la lettre)

Bach: Prélude nº 8
CBT 1

(http://youtu.be/Y4kihlDPP4Q)

Je sais que la grosse majorité des lecteurs vont sauter cette partie.

Mais je tiens à la laisser, parce que si une seule personne s'y attarde, ça va avoir valu la peine.

(Un ou une Nerd.)

Praeludium VIII
Johann Sebastian Bach (1685–1750)
BWV 853

Rythmes:
Rythme simple = rythme plus prévisible
Rythme complexe = rythme plus imprévisible

Registres/ambitus:

= serré dans l'aigu   = serré registre moyen   serré grave

registre moyen, pas = serré ni étendu   = ambitus étendu

Changement de registre: indiqué par des flèches

Cadences:

Cadence forte: un point dans une phrase =

Cadence moyenne: comme un point-virgule =

Cadence faible: comme une virgule =

Cadence rompue/évitée: on attendait un point, mais Bach nous dit: «Mais!...»   mais

PARTIE I [La première note de la basse = la dernière note du soprano!

rythme simple   blanches-pulsation: créent l'unité de toute la pièce   rythme un peu + complexe

les blanches-pulsation se retrouvent au soprano

marche →

rythme + complexe

note la + aiguë de la toune   modulation perçue: sibm (V) notes altérées basse et sop= WOAH!

fin de la marche

rythme hyper complexe!   apparition de l'alto (rythme simple, puis complexe)

rythme simple m.d. rythme complexe m.g.   modulation perçue: labm (IV)

arrêt des blanches-pulsation!

Le premier truc qu'on remarque dans le prélude de Bach, c'est la pulsation de blanches

toujours là,	imper- turbable,	qui scande	et unifie	la toune.

Contre ces blanches inébranlables, Bach va construire plein de petits châteaux rythmiques, d'abord prévisibles (simples), puis de plus en plus imprévisibles (complexes):

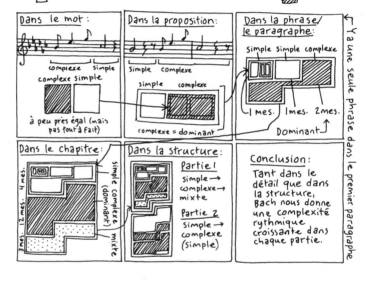

Dans le mot :

complexe | simple
complexe simple

à peu près égal (mais pas tout à fait)

Dans la proposition:

Simple | complexe
simple | complexe

complexe = dominant

Dans la phrase/ le paragraphe:

Simple Simple complexe

1 mes. 1 mes. 2 mes.

Dominant

↗ Y a une seule phrase dans le premier paragraphe

Dans le chapitre:

3 mes. 12 mes. 4 mes.
simple complexe (dominant) mixte

Dans la structure:

simple complexe mixte

Partie 1
simple →
complexe→
mixte

Partie 2
simple →
complexe
(simple)

Conclusion:
Tant dans le détail que dans la structure, Bach nous donne une complexité rythmique croissante dans chaque partie.

Ceux qui ont arrêté de lire, vous pouvez recommencer ici →

Le détail (microcosme) peut être regardé sous la loupe de Graves, et la structure (le macrocosme) aussi!

Le sujet du livre de Graves, c'est les arts visuels. Pourtant, il offre aussi un point de vue sur une toune de Bach!

Qu'on soit d'accord ou pas avec le modèle de Graves, on est forcé d'admettre qu'il s'applique à pas mal de choses.

La forme de mes fesses!

Alors là, NON! L'analyse n'est pas le sensible.

L'analyse arrive **après** la sensation.

Le vrai observateur, c'est celui qui observe sans analyser.

Sinon, ce n'est pas un observateur: c'est un interprète.

Oui mais l'analyse n'a rien de sensible! Es-tu vraiment sensible à la structure d'une toune quand tu l'écoutes? Ce serait pas plutôt quelque chose de rationnel, qui a peu à voir avec la perception, et destiné à une «élite»?

L'analyse, c'est le sensible!

<u>Oui</u> je suis attentive à la structure d'une toune quand je l'écoute, tout le temps, et non ce n'est pas pour écrire un article dans une revue universitaire; la structure touche mon affect, directement! Et le tien aussi! Et souvent tu t'en rends pas compte!

Qu'est-ce qui fait selon toi que dans une toune pop, on a «hâte au refrain»?

Load up on guns, bring your friend
It's fun to loooose and to preten

↳ head banging ↴

On l'entend une première fois: s'il est bien fait, il est super reconnaissable et reste facilement en mémoire.

Helloo Helloo Hello hoow looow
Helloo Hello Helloo Howl

↳ bougent un peu plus ↴

La structure «couplet-refrain» est devenue une forme de standard de notre époque. C'est une structure!

Hello hello
patapata wooooooy

La structure narrative d'une toune ou d'une B.D. va donner au moins une apparence de cohérence à l'ensemble et peut jouer avec notre mémoire, donc créer des attentes.

With the lights out it's less dangerous

«élite»?

Observer sans analyser, c'est <u>très</u> <u>difficile</u> pour moi, parce qu'il faut que ce soit le silence dans ma tête.

Je suis pas mal convaincue que la structure de n'importe quelle oeuvre qui se déroule dans le temps a un impact direct sur la manière dont on la perçoit. Jouer avec la mémoire des gens, c'est jouer avec leur lecture sensible: ils participent à l'oeuvre.

Mais l'analyse d'une oeuvre te donne l'illusion de comprendre, alors que tu comprends pas vraiment !

Quand j'adopte un modèle d'analyse pour regarder une oeuvre, c'est pas pour la comprendre: c'est pour la percevoir d'un certain point de vue.

⋛ LA QUICHE ⋛

Je regarde une quiche.

Je la trouve belle.

oOOOOh !

C'est pas la quiche réelle qui m'intéresse, c'est la représentation que je me fais de la quiche, son image.

L'esthétique ne porte pas sur l'objet comme tel, mais sur sa représentation seulement: c'est désintéressé de la part du regardeur. Je ne suis pas intéressée par la quiche pour la manger. C'est son image qui m'intéresse: je la trouve belle.

Toi, la quiche, tu la vois distraitement, sur la table, tu la vois fonctionnellement.

C'est une quiche, elle ressemble à une quiche, elle est faite pour être mangée.

Est-ce que c'est vraiment ton goût qui est contre le mien? Comment peux-tu trouver que la quiche n'a pas d'intérêt esthétique, si tu viens pas la regarder?

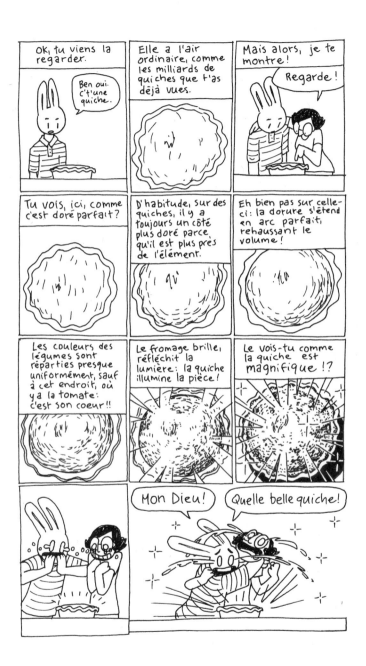

C'est ça que Graves fait.

Voilà pourquoi j'aime Graves, j'aime Luce, j'aime Schenker, j'aime Scott McCloud, et je vais toujours aimer ce genre de théorie esthétique, malgré les guerres de clochers. Ça me permet d'avoir le plus d'input possible quand je réceptionne une oeuvre.

Ces modèles d'analyse deviennent des standards un peu par la force des choses, quand beaucoup de gens utilisent le même modèle. Mais je ne vois pas ça comme une «prescription». Ultimement, j'aimerais en connaître beaucoup pour pouvoir créer mon propre modèle.

(Mon propre jardin?)

Pour moi, les 24 heures de la bande dessinée, ça ressemble à cette image

C'est un peu comme être en couple: t'es heureux, mais t'es moins libre.

Habitudes

Je fais la vaisselle.

À côté du lavabo, y a une bouteille d'eau, entamée au quart.

Elle est là depuis vraiiiiiiiiiiiiment longtemps.

Je suis tellement habituée de la voir que je la vois plus.

Si un soir, je veux sortir et traîner une bouteille d'eau, je chercherai même pas là, même si je vois cette bouteille-là tous les jours.

Voyons... me semble qu'y a une bouteille d'eau quelque part dans l'appart...

Toutes ces choses, comme ça, qui deviennent invisibles parce qu'elles sont entrées dans l'habitude...

... ben ça me fait

BAD-TRIPER BEN RAIDE.

Si tu dessines un peu, tu sais probablement c'est quoi être sur le «pilote automatique».

Tu dessines distraitement, tu penses à ta liste d'épicerie*.

Le petit répertoire que t'as dans ta tête te fournit des solutions faciles.

Une manière de dessiner un nez, une main, une expression faciale...

Une solution que tu reproduis d'un autre dessinateur sans t'en rendre compte, ou bien juste qui te vient par habitude.

La solution est confortable.

Tu peux continuer vraiment longtemps à dessiner les mains de la même façon—

sans te rendre compte qu'après tout, c'est une solution parmi tant d'autres.

Et que ce n'est pas nécessairement la meilleure!

Mais ton esprit ne peut pas se poser la question: il est occupé à penser à une liste d'épicerie.

*Une liste d'épicerie, une conversation de la veille, un article que t'as lu sur facebook, ta grand-mère morte, ton ex...

Si tu joues un peu de piano, tu sais probablement c'est quoi être sur le «pilote automatique».

Tu joues distraitement, tu penses à ta liste d'épicerie*.

Le petit répertoire que t'as dans ta tête te fournit des solutions faciles.

Une manière d'articuler une phrase, un son doux à un endroit particulier, une «philosophie de pédale»...

...une solution que tu reprends d'un autre interprète sans t'en rendre compte ou bien juste qui te vient par habitude.

La solution est confortable.

Tu peux continuer vraiment longtemps à articuler une phrase de la même façon—

sans te rendre compte qu'après tout, c'est une solution parmi tant d'autres.

Et que ce n'est pas nécessairement la meilleure!

Mais ton esprit ne peut pas se poser la question: il est occupé à penser à une liste d'épicerie.

* Une liste d'épicerie, une conversation de la veille, un article que t'as lu sur Facebook, ta grand-mère morte, ton ex...

J'ai longtemps pensé que la « meilleure solution possible », c'était une espèce de diamant flottant dans le vide dont je me rapprochais par essais et erreurs, au fur et à mesure que je dessinais, que je composais ou que je jouais au piano.

Mon idéal, c'est pas de faire la meilleure création possible, c'est plutôt de trouver le moyen de <u>créer dans la joie</u>. Même dans les difficultés, y puiser de la joie.

Donc, pour moi, la « meilleure solution possible », c'est simplement: la solution qui m'apporte du plaisir.

Mon éditeur

Moi

C'est quoi qu'a l'a dans la main? Un champignon?

Ben non! C't'une raquette de ping-pong!

Iiiiiiish.

OK C'EST UN DESSIN DE MARDE.

Quand je suis sur le pilote automatique, ce qui sort de mon crayon ou de mon piano, c'est dolle.

Pis je me rends pas compte que c'est dolle.

FINI!

Le résultat est peut-être dolle, mais c'est pas vraiment le résultat qui me dérange.

C'est plutôt le fait que j'en ai pas vraiment tiré de joie.

Je ne me suis pas amusée sur cette page.

Pour ça, le minimum, c'est de m'en rendre compte...

Mais ça arrive pas toujours.

Pis MÊME dans le cas où, MIRACLE! je m'en rends compte:

Arrête de penser à ta liste d'épicerie!

C'est facile à dire, ça, «arrête de penser à ta liste d'épicerie»...

... mais comment faire, concrètement, pour freiner l'automatisme d'aller chercher dans le petit répertoire?

C'est le boutte toffe. J'appelle ça : <u>désapprendre</u>.

$$\lesseqgtr PAF! \gtreqless$$

C'est rendu une habitude.

C'est le retour de la liste d'épicerie.

Faudrait-il que je doute à chaque pas ?
Que je sois toujours en état de désapprentissage ?

Non, je ne peux pas commencer à douter de chaque
pas que je fais ; sinon, je peux plus avancer.

Y a probablement un juste milieu.... introuvable.

Désapprendre

QUAND J'ÉTAIS PETITE, UN DE MES LIVRES PRÉFÉRÉS,
C'ÉTAIT UN LIVRE QUI MONTRAIT À DESSINER AVEC
DES FORMES GÉOMÉTRIQUES.

① FAIS UN ROND

② FAIS UN OVALE

③ RAJOUTE DES DÉTAILS

④ C'EST UN OISEAU!

Hihi!

Hihi!

Hihi!

Astie de livre de marde
qui m'a fuckée pour le
restant de mes jours.

SI J'AVAIS DÉCIDÉ DE RESTER DANS UN UNIVERS SCHÉMATIQUE 2D (DANS LEQUEL IL N'Y A PAS DE RACCOURCIS NI DE VUES DE HAUT), PEUT-ÊTRE QUE J'EN AURAIS PAS TANT SOUFFERT, MAIS C'EST PAS ÇA QUI S'EST PASSÉ.

OR, BIEN PLUS TARD,
J'AI CATCHÉ QUE C'EST PAS QUE JE SAVAIS PAS DESSINER, C'EST QUE JE SAVAIS PAS <u>REGARDER</u>.

Pour comprendre, il a fallu que je désapprenne ma façon de regarder. Et j'ai encore beaucoup de misère.

Le party commence.

(Je me pose ces questions-là sans me rendre compte que ma vue de face, c'est pas vraiment une vue de face; c'est un pictogramme, sans perspective.)

Ben là, imagine que ça m'arrive pis que malheureusement, je suis en train de penser à ma liste d'épicerie!

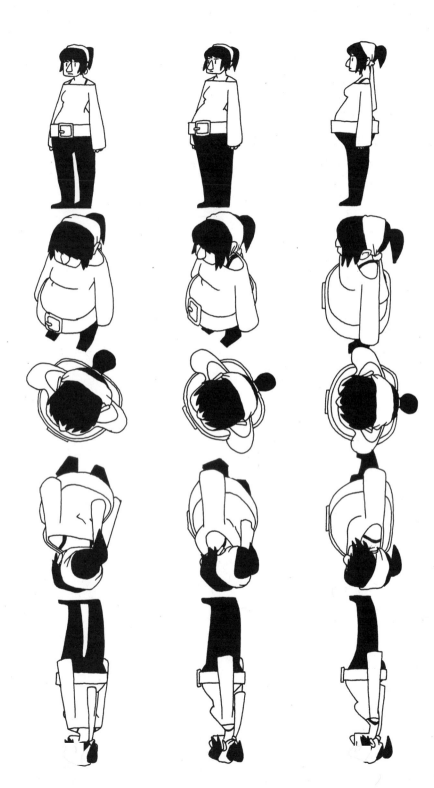

Je traîne ce personnage depuis 2008.

↓

↑

Ha ha Je fais du Cathon.

Décider de la grille, avec des mesures : 1h	Décider des proportions du perso : 1h	Découvrir que je sais pas dessiner une sphère : 2h	Chercher des tuto-riels : 1h	Me faire un plan de match : 1h	Reconstrui-re mieux le perso en 3D : 2h
Redéfinir la grille : 1h	Faire un test + ajuste-ments : 3h	Faire la grille finale : 1h 30	15/30, crayonnés encrés : 4h 30	30/30, crayonnés encrés : 2h 30	TEMPS TOTAL D'EXÉ-CUTION : 20H30

(sur 5 jours)

Temps que ça t'a pris pour regarder le dessin :

10 secondes.

Je le sais que le résultat, c'est un peu de la marde

ouch →

↳ ish

hé ta ↓

mais je suis super contente d'avoir <u>essayé</u> !

Estie que c'était TOFFE !!!!

Y en a pour qui un «bon dessinateur», c'est quelqu'un qui a une ligne dynamique; y en a d'autres pour qui c'est l'expression qui compte, ou l'inattendu.

Pour ma part, j'ai toujours été fascinée par les dessinateurs qui étaient habiles avec les volumes, à l'oeil, comme ça.

Vincent Giard, quand il était petit, c'est un livre de Moebius qu'il avait entre les mains.

C'est peut-être juste une coïncidence, mais aujourd'hui, c'est une des personnes que je connais qui arrivent le mieux à dessiner la 3e dimension.

Pourquoi n'ai-je pas eu moi aussi du Moebius entre les mains à la place de ce livre de marde !?

Dude. Arrête de jouer la victime. T'es tellement pas une victime.

Je suis tellement pas une victime !

En plus, plus je fais des affaires toffes comme ça, plus c'est facile, plus c'est le fun !

Mais c'est pas encore très clair ce que j'entends par «désapprendre», alors c'est pourquoi je vais te parler de quelque chose qui le demande en masse:

Si je regarde ma cuisine, elle est en 3D. Si je veux la dessiner sur une feuille de papier 2D, il va falloir que j'utilise des techniques pour recréer comment un oeil normal se représente l'espace.

On nous apprend, dans les cours de perspective, que pour dessiner comme on voit, on doit suivre un paquet de règles. Par exemple, la hauteur des yeux se situe au niveau d'une ligne imaginaire qu'on appelle la ligne d'horizon, sur un point que l'on appelle le point de fuite central.

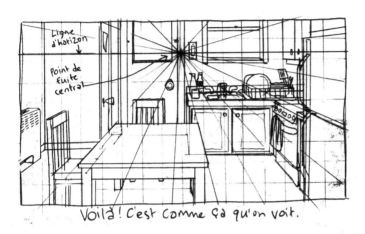

Voilà! C'est comme ça qu'on voit.

C'est comme ça qu'on voit?

BULLSHIIIIIIT
C'EST PAS COMME ÇA QU'ON VOIT
PANTOUTE.

Si tu t'arrêtes 5 secondes et si tu prends le temps
d'observer attentivement ta façon de regarder,
y a au moins deux choses qui vont te sauter aux yeux:

1. Ton oeil n'a aucune vue d'ensemble. Il fixe un point précis, et le reste, à l'entour, est flou.

Pour avoir un ensemble, l'oeil va scanner vite vite vite une multitude de points.

C'est ta tête qui analyse le tout et invente une vue d'ensemble.

Une cuisine!

Pour voir quelque chose, ça prend du temps;
or, dans un dessin, y en a pas.

2. Si tu fixes un point et si tu te concentres très fort sur ta vision périphérique...

...tu vas t'apercevoir que le cadre de porte, tu ne le vois pas droit!

Tu le vois COURBE! Notre oeil est SPHÉRIQUE!

La cuisine, si je veux la dessiner comme mon oeil la
voit, ça va plus ressembler à ça:

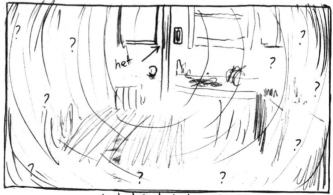

het

Le plus beau dessin de ma vie

Je vois le cadre de porte courbe, mais mon esprit sait qu'un cadre de porte, c'est droit; alors, l'information du cadre de porte droit vient overwritter le cadre de porte courbe.

Si je regarde mon pouce gauche proche de ma face et mon pouce droit un peu plus loin, mes yeux les verront de deux grosseurs différentes, mais mon esprit me dira: «Chérie, tes deux pouces sont de la même grosseur.»

Voyons! Je le vois bien qu'un pouce a l'air plus gros que l'autre! Ok, ton pouce est combien de fois plus gros?

Attends...

HA! T'as fermé un oeil!

On catche la profondeur en regardant avec nos deux yeux.

Le point de vue de l'oeil droit + le point de vue de l'oeil gauche + mathématique de l'esprit = 3D.

Pour voir combien de fois le pouce est plus gros, faut voir en 2D, faire la profondeur. Fermer un oeil est un moyen.

← Papier 2D

Mais habituellement, on ne voit pas la vie en fermant un oeil. Tu t'en rends compte quand t'essaies de dessiner. C'est HYPER DUR, parce que ton esprit veut VRAIMENT dessiner les deux pouces de la même grosseur!

Pourquoi c'est tellement difficile de dessiner la perspective, c'est que c'est pas comme ça qu'on voit, et c'est pas comme ça qu'on pense.

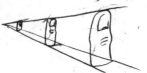

Reprends mon dessin de cuisine, reproduis-le en bas-relief ➝

(représentation 2D, mais «sculptée» sur une surface).

Qu'est-ce que l'espace, pour un aveugle?

Donne le bas-relief à un aveugle de naissance.

hu?

Pourquoi la table est-elle en forme de trapèze?

Une table, c'est rectangulaire!

Pour un aveugle, la perspective telle qu'on la dessine n'a aucun sens !!

La perspective est une invention de l'homme, assez ingénieuse. On est habitués de voir des lignes fuyantes mais elles n'existent que dans notre œil; pis à un moment donné pendant la Renaissance, y a quelqu'un de vraiment bright qui s'est dit que ce serait cool d'essayer de reproduire les fuyantes sur un plan 2D.

Mais ça reste de la triche! Si je suis devant une track de chemin de fer droite et que je regarde les deux lignes parallèles infinies qui partent tout droit devant moi, elles vont finir par se toucher rendues à la ligne d'horizon, alors que dans la réalité, elles ne se toucheront jamais. Elles vont aussi me paraître droites, pas courbes!

On ne voit pas la réalité et on ne voit pas la vue d'ensemble; on les crée.

Une fois que t'as compris que la perspective, c'est de la triche, que la perspective, c'est juste un langage graphique pour les gens qui ont des yeux, que ton esprit manipule tes perceptions sans que tu t'en rendes compte, tu catches aussi que t'as pas <u>vraiment</u> besoin de la perspective dans un dessin.

Ce ne sont plus des volumes, ce sont des pictogrammes. Je m'adresse à ta compréhension conceptuelle, pas à ta compréhension visuelle; et tu catches parfaitement le dessin.

C'est pour cette raison qu'on peut faire des chefs-d'oeuvre de bande dessinée avec des bonshommes allumettes.

XKCD

Voir le commentaire de Jean-Paul Eid (page 165)

Je suis pas sûre à 100%, mais je crois que ma mémoire procède beaucoup plus par concepts que par images.

Quand je rejoue la scène dans ma tête, je vois une couple d'images, mais c'est flou, pis je suis pas sûre que je les invente pas. Je me rappelle d'avoir eu un balai dans les mains, un rouge, mais je pourrais pas dire exactement:

Pour dessiner les volumes, il faudrait que je désapprenne la manière conceptuelle de regarder et que j'observe davantage les formes, les contrastes. Je vois difficilement comment c'est possible autrement qu'en créant (dessin, photo, etc.).

→ créant reproduisant

C'est peut-être pour cette raison que Chris Ware utilise une perspective axonométrique (voir ci-dessous) dans ses bandes dessinées. Il s'adresse à nos concepts plus qu'à nos yeux, et d'une certaine façon, quand on lit ses livres, c'est comme si on se remémorait quelque chose.

tiré de « Lint » ↴

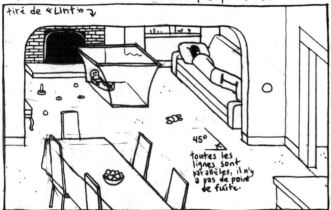

45°
toutes les lignes sont parallèles, il n'y a pas de point de fuite.

Personnellement, j'aime bien [essayer d']utiliser la perspective conique — celle qui se rapproche d'une photo, celle qu'on apprend à l'école. Même si c'est hyper difficile, ça crée des ambiances intéressantes; il y a quelque chose de très fort que je ressens quand je me retrouve dans un grand espace vide ou devant un immense paysage. Je vois difficilement comment rendre cet effet de grandeur, de profondeur, en utilisant seulement des concepts. L'effet ne se conjugue pas avec le souvenir; on peut se rappeler de la sensation, mais on ne la « revit » pas.

Moebius et la plupart des mangakas utilisent la perspective conique. Quand on lit leurs bandes dessinées, on les vit dans l'instant présent, moins dans le souvenir.

Point de fuite!

dessin de Moebius trouvé sur Google.

J'ai rajouté un peu de contraste à l'image pour la rendre un peu plus lisible ←

119

Étrangement, un des trucs qui m'ont le plus aidée à saisir le volume des objets dans un dessin, c'est d'apprendre à calibrer une ligne claire.

[parenthèse]

La ligne claire... Quelle invention bizarre, quand on y réfléchit.

Dans ce dessin, je représente les objets en faisant des lignes; mais si je regarde autour de moi, est-ce qu'il y a des lignes sur les objets? Est-ce qu'il y a des lignes sur mes bras, dans mes cheveux? Bien sûr que non! Il n'y a aucune «ligne» proprement dite...

[/parenthèse]

Quand j'étudiais en animation, on m'a appris une méthode de calibrage de lignes:

Les parenthèses, c'était les moyens mnémotechniques de Pierre-Louis, mon prof de perspective.

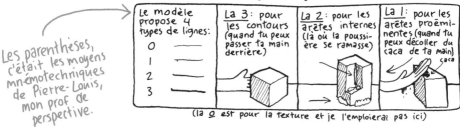

(la 0 est pour la texture et je l'emploierai pas ici)

faque tu peux calibrer tes lignes avec ce modèle-là:

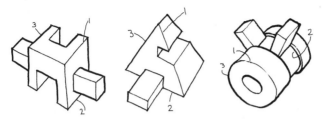

Tu peux aussi appliquer cette logique-là aux formes organiques!

Pis peu à peu, tu deviens vachement plus attentif aux volumes dans l'espace, puisque tu te demandes « c'est-tu un contour? Une arête interne? Une arête proéminente?», et ce, pour <u>chaque ligne</u>.

À un moment donné, par accident, j'ai oublié d'encrer les lignes de type 1. J'ai effacé mon crayonné, et BAM! J'ai vu quelque chose comme ça:

Je me suis dit: «Tiens, c'est étonnant à quel point le dessin est super lisible quand même... »

«Qu'est-ce qui arrive si, pour le même dessin, je n'encre pas les lignes de type 2 ?»

«Et les lignes de type 3 ?»

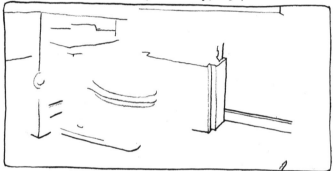

«Et si je n'encre que les 3 ?»

Les trois épaisseurs de lignes, ça a un rapport direct avec la hiérarchie de ce qu'on voit: les contours = + important.

« Ok !... Super !... Dans le fond, quand j'encre pas les arêtes proéminentes (les lignes 1), tout a l'air rond. »

« Admettons que j'essaie de faire ça à l'envers; je dessine les formes d'ordinaire "rondes" avec des arêtes proéminentes (comme pour des cubes). »

OOOh!

C'est donc ben plus facile à dessiner !!

Est-ce que je pourrais juste m'imaginer n'importe quoi comme si c'était fait en cubes ?...

Faque j'ai commencé à faire des crayonnés de mes personnages en les dessinant avec en cubes.

Et une fois la construction terminée, « j'arrondissais » en n'encrant pas les arêtes proéminentes.

BOÎTE DE PANDORE, MAN.

Là je me suis **vraiment** rendu compte que j'avais les yeux pleins de caca, que j'avais jamais **vraiment** porté attention aux volumes de ce que je dessinais.

Un autre truc que j'ai découvert, c'est « l'épaisseur des choses ».

L'image conceptuelle d'un t-shirt, le pictogramme « t-shirt », n'aura pas d'épaisseur.

Mais un t-shirt normal en a une! et je peux la dessiner! D'abord avec la ligne 1...

... que j'enlève après, parce qu'une épaisseur de tissu n'a pas d'arête tranchante.

La tooooute petite courbure à la fin de la ligne donne **beaucoup** d'information!

C'est le genre de truc qui me fait triper en dessin je crois: le plus petit détail qui donne le maximum d'information.

Des fois, je suis dans ma cuisine pis je me demande:

Si quelqu'un est situé <u>là</u> et qu'il me dessine,

Où seront les lignes?

J'en aurai une ici.

Et une là.

Etc.

À force de travailler les volumes, ça m'a forcée à remettre en question une façon de fonctionner qui persiste depuis que je sais tenir un crayon: je ne réfléchis pas à mon dessin avant de le faire; je le construis souvent au fur et à mesure.

D'abord un rond pour la tête (avec les ellipses que je sais même pas faire justes).

Ensuite les yeux, la face, les cheveux,...

Pis après, ça se gâte: <u>comment je vais dessiner le corps?</u>...

Une fois le corps dessiné: quel background?

?
.
?

MÉTHODE DE CHAMPION! C'est clair que Moebius marche de même, heih?

J'ai fini la tête! Le corps sera dans quelle position?

BEN NON.

Procéder de cette façon, c'était me condamner à ne jamais goûter au plaisir de mettre en scène et de sculpter les volumes dans l'espace.

Plutôt que de me dire: «J'ai fait la tête comme ça, maintenant dans quelle position sera le corps?», me dire: «Le personnage est dans tel décor, dans telle position, <u>donc</u> la tête doit être ici.»

Le dessin, c'est un code secret

facile à décoder,

pas facile à encoder.

Les modèles de perception en moi me servent à mieux interpréter ce que je vois et sens, mais pas à dessiner !...

Si je veux mieux comprendre le dessin, je me rends compte qu'il y a plein de raccourcis que mon esprit fait et que je dois désapprendre.

C'est certain que savoir dessiner une foule à vélo qui tombe dans un canyon vu en plongée, c'est absolument pas obligatoire pour raconter une histoire. MAIS ! Si je veux vraiment le faire, c'est <u>faisable</u> ! Pis y a une infinité de façons de faire.

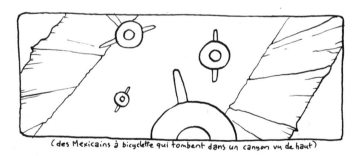

(des Mexicains à bicyclette qui tombent dans un canyon vu de haut)

Pis si après 3 jours de sueur, 5 tentatives, 3 équerres brisées, 2 nuits blanches et du pipi par terre, t'arrives à rendre une ambiance pas pire grâce à la perspective...

C'est un pas pire trip.

Croiser les choses

Ces pages ont été dessinées en 2011, soit 3 ans avant le reste du livre.

Arthur Koestler est un cool.

Dans son bouquin "*Le cri d'Archimède*", il tisse un lien entre humour, poésie et découverte scientifique.

Pour ça, il invente le mot «bissociation».

Allo !

La typo a changé !!

Il ne faut pas confondre BISSOCIATION et ASSOCIATION. c'est pas la même affaire.

L'ASSOCIATION →

C'est quand un concept ou une idée m'amène vers quelque chose d'autre, qui a rapport.

QUAND JE PENSE À

JE PENSE À

LAUREL

HARDY

L'extrémité d'une saucisse à hot-dog

L'anus d'un chat

tarte tatin

totons

facture d'Hydro

douleur au cul

Voir ce que ce dessin a inspiré à Lewis Trondheim (page 215)

 **La BISSOCIATION** → C'est quand on joint (volontairement ou pas) deux concepts qui, a priori, ont pas grand-chose en commun.

KLEENEX + MASSEUR DE TÊTE = PERSONNAGE AMUSANT

GIRAFE + HEMINGWAY = PERSONNAGE AMUSANT

MICRO + EXTINCTEUR = PERSONNAGE AMUSANT

BON OK — ça donne pas mal de personnages amu-sants, mais laissez-moi donc vous raconter l'histoire d'Archimède, et de son fameux cri.

C'est quoi, le cri d'Archimède ?

Voyons ! Tu connais pas tes classiques ?

Archimède, c'était un dude allumé pour l'époque (on est en Grèce, 2 siècles avant J.-C.), et à ce moment-là, il était sous la protection d'un tyran nommé Hiéron II.

Nan nan nan j'veux que tu me dises si c'est de l'or pur mais sans la fondre – d'un coup qu'est pas made in China ?

J'te donne une semaine, après quoi, j'te la rentre dans un orifice de mon choix.

...

GENRE :

- trop de trous et de relief pour mesurer précisément le volume avec une règle

- ne rentre que très douloureusement dans un orifice humain

Archimède a passé pas mal de temps dans son petit atelier avec la couronne.

Peux pas la fondre, peux pas la mettre en cubes... comment j'vais mesurer ça, estie...

Il rushait sa vie parce qu'il cherchait la solution sur un seul plan. Il la cherchait dans ses méthodes traditionnelles.

Voyooons...

Archimède

problème   solution

Notre ami a tellement tourné en rond longtemps qu'à un moment donné...

snif

... il s'est rendu compte qu'il puait.

J'vas prendre un bain, j'peux pus m'sentir !

C'était pourtant quelque chose de familier; quand il pénétrait dans le bain, le niveau de l'eau montait tout le temps. Mais c'était tellement banal: il avait beau prendre un bain tous les jours, les expériences et les idées qu'il associait au bain relevaient de la pure routine: sensation de chaud et de froid, fatigue, repos, peau ratatinée...

Jamais Archimède ni personne n'avait encore songé à relier un évènement aussi ordinaire que celui de prendre un bain avec l'exercice intellectuel de vouloir mesurer le volume d'un objet solide. Il avait mille fois observé la petite ligne du niveau de l'eau du bain qui montait quand il plongeait dedans, mais il n'avait jamais eu de réel intérêt pour la chose, jusqu'à cet instant de BISSOCIATION avec son problème: il a compris que le changement du niveau du liquide mesurait simplement le volume de son corps.

En premier, Archimède fait les cent pas sur sa petite surface plane pis il trouve rien.

À un moment donné, il se rend compte qu'il pue.

PAF! La solution est dans le bain!

Retour dans le futur!
Ces pages ont été
dessinées en 2014.

Si je me mets à faire autre chose que de travailler sur mon projet en cours, c'est forcément que je bloque sur quelque chose. La plupart du temps, c'est lié à un phénomène que j'appelle « le trou dans la séquence ».

Le moment précis où j'ai pu mettre des mots là-dessus, c'était quand j'habitais sur Dorion.

J'arrivais pas à faire la vaisselle.

Ce besoin de séquences est probablement mon plus grand point commun avec les autistes.

La séquence «faire la vaisselle» était:

1. Prendre la vaisselle sale

2. La laver et la rincer

3. La faire sécher dans le rack

Je ne sais pas si j'aurais trouvé le problème du trou dans la séquence si j'avais jamais travaillé avec des autistes !

UN JOUR, j'ai eu l'idée de modifier la séquence «faire la vaisselle» dans ma tête et de rajouter une première étape: celle de «ranger la vaisselle propre».

On dirait qu'à partir de ce moment-là, j'ai plus vraiment eu de problèmes avec la vaisselle; ce qu'il me fallait pour me starter, c'était juste une première étape claire.

La première étape d'une tâche, que ce soit faire la vaisselle ou faire un album de bande dessinée, c'est quelque chose qui n'est pas nécessairement clair tant et aussi longtemps qu'on a pas réfléchi aux détails du processus!

ok, je dois travailler sur ma B.D.!

C'est flou: qu'est-ce qu'il faut faire, exactement?

Ben je dois m'asseoir à mon bureau, prendre des feuilles,... dessiner ...

Oui mais dessiner QUOI?

Dessiner le script que j'ai écrit la semaine passée!

La première étape, ce serait peut-être d'aller l'imprimer!

Ah mais c'est vrai... ce script-là était pas au point... Donc je l'avais pas imprimé...

Un bon truc pour m'aider à arriver avec des nouvelles solutions, c'est de briser quelque chose de la routine.

Je trouve ça un peu triste, les gens qui ont trop peur de se faire voler leurs idées. S'empêchent-ils aussi de puiser ailleurs?...

Comment favoriser le croisement des idées si tout le monde est le gardien féroce des siennes?

Je comprends la raison d'être de la propriété intellectuelle et je la respecte chez les autres, mais pour mon propre travail... bof...

La propriété privée étendue au concept des idées?

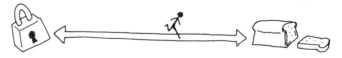

Ignorance

Quand je suis allée étudier en musique, je me suis rendu compte rapidement que j'étais ignorante.

En fait, au début de mes études, je croyais que le monde des connaissances se divisait en deux:

Les choses que je sais

Les choses que je sais pas

Plus j'avançais dans mes études, plus je m'apercevais que c'était plutôt ça:

Les choses que je sais

Les choses que je sais pas

J'ai fini par me rendre compte que c'était plutôt divisé en trois:

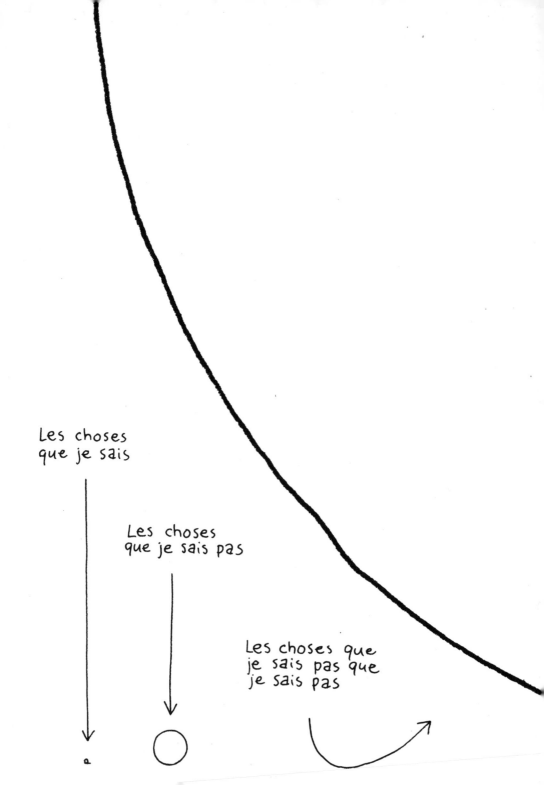

Les choses
que je sais

Les choses
que je sais pas

Les choses que
je sais pas que
je sais pas

À propos de la page précédente : voir le commentaire de Maître Niko (page 189)

Quelques exemples de pensée binaire :

Vous êtes avec nous ou vous êtes contre nous.

Je suis Charlie.

Je ne suis pas Charlie.

Je suis de gauche.

Je suis de droite.

On a souvent tendance à recourir à une pensée binaire; c'est-à-dire, ou bien c'est x, ou bien c'est non-x.

Cette banane est jaune ou n'est pas jaune

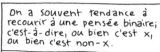

Mais cette pensée binaire ne nous permet pas de remettre en question le nom des choses.

Qu'est-ce qu'une banane ?

Qu'est-ce que "jaune"?

Selon le contexte et la mémoire d'un individu, la banane se trouve sur cette portion du continuum.

Un autre contexte ou une autre mémoire la situera plutôt ici.

Même chose pour le jaune.

Même chose pour les choses qu'on sait.

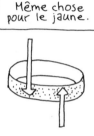

Je sais, c'est pas clair, alors voici une petite histoire :

Il pleut et je marche en plein milieu d'un trottoir étroit, avec un parapluie <u>transparent</u>.

J'ai le vent dans face, faque je dois pencher un peu le parapluie pour pas manger la pluie dans yeule.

S'il y a quelqu'un qui vient en sens inverse et que le parapluie est transparent, je vais la voir, cette personne :

JE SAIS qu'il y a risque de collision.

Maintenant, j'ai un parapluie noir, opaque.

Admettons que ça m'est déjà arrivé, avant, de rentrer dans quelqu'un parce que mon parapluie me bloquait la vue. Ma mémoire me rappelle l'incident, c'était embarrassant, bref, j'aimerais que ça ne se reproduise pas.

Mon parapluie est noir et opaque, donc, « je sais pas » si quelqu'un arrive en sens inverse, mais je sais qu'il pourrait y avoir quelqu'un : « je sais que je ne sais pas », je suis consciente de mon ignorance.

Faut pas que je rentre dans quelqu'un qui marcherait en sens inverse.

Maintenant, j'ai 6 ans et ça m'est jamais arrivé.

Gueuleu gueuleu

Il ne me vient pas à l'esprit de me demander s'il y a quelqu'un qui vient en sens inverse : rien n'est inscrit dans ma mémoire à ce chapitre.

Faque je baisse la tête et je fonce, pour pas manger la pluie et le vent dans yeule.

Gueuleu gueuleu

Mais le sait-elle assez pour être activement sur ses gardes le reste de son chemin ?

Elle va le savoir bien plus quand elle va rentrer dans une personne pour de vrai et se faire mal (si on admet que l'émotion permet de ranger l'évènement dans la mémoire à long terme).

OUAAAH!

elle savait pas qu'elle savait pas →

On croit qu'on apprend des choses pour diminuer la sphère de ce que l'on ne sait pas et augmenter celle de ce que l'on sait.

grossir   diminuer

En réalité, c'est peut-être plus pour augmenter la sphère de ce que l'on ne sait pas et diminuer celle de ce que l'on ne sait pas que l'on ne sait pas.

insignifiant

grossir

diminuer

Parce que l'ignorance dans la dernière sphère peut être dangereuse.

T'as utilisé tel matériau pour construire des tuyaux d'aqueduc !??

Oui, il est super résistant au froid, je me suis dit que ce serait super pour les hivers montréalais !

Mon gars, ce matériau-là fait une réaction chimique quand il entre en contact avec l'eau, et là tout Montréal est contaminé !!!

BRAVO.

Il savait pas qu'il savait pas

Épidémie de gastro dans toute la ville de Montréal. Les experts sont perplexes.

Boss de Gatorade

Jusqu'à un certain point, savoir ou ne pas savoir les choses amène un lot de responsabilités.

C'est pas nécessairement «admettre l'erreur», parce que je suis pas sûre que je pourrais vraiment définir c'est quoi une «erreur».

Krishnamurti, il le dit bien: il dit ← Ce serait peut-être juste: assumer la responsabilité des conséquences de mes choix ?...

«se sentir responsable et non pas responsable de».

Totale liberté = totale responsabilité = deal correct.

Il y a plein de vidéos de conférences de ce gars-là sur YouTube. C'est intéressant, mais faut être vraiment patient parce qu'il parle vraiiiment lentement...

Adaptation

J'ai fait ces pages en tenant mon crayon d'une manière différente.

(C'est pour ça que c'est tout croche.)

Il existe des lunettes que quand on les met, on voit le monde à l'envers.

ce qu'il y a devant moi ↓

ce que je vois ↓

J'en veux

Il paraît que quand on les met, dans les premiers temps, c'est super rushant.

Allo Ginette!

MOI c'est Nicole.

Mais qu'après pas trop de temps, on finit par s'adapter.

Allo Ginette!

Pourquoi tu me dis allo ?

Je me répète souvent cette petite fable quand je pense aux choses qui me semblent vraiment difficiles au piano, en dessin, en scénarisation, etc. Ça et une autre histoire:

Au cégep, fallait choisir deux cours d'éducation physique dans une liste.

1er cours: j'ai fait le choix de tous les branleurs et je suis allée en relaxation.

Respirez.

2e cours:

Han! Tir à l'arc! Ça a l'air cool!

c'était effectivement VRAIMENT COOL !

On a même pas touché à un arc le premier mois, parce qu'il fallait « former le mental » !

on pratiquait avec des cordes à danser

geste de l'omoplate

coude tourné

Pis fallait trouver c'était lequel notre oeil dominant (je me rappelle plus trop c'était quoi l'exercice).

Malheur! Je découvre que mon oeil dominant me dicte d'utiliser un arc pour droitier !

(et je suis gauchère)

Ça fait que je me sentais hyper inconfortable avec mon arc droitier.

Mais j'ai persisté. J'ai pratiqué malgré l'inconfort. (Anyway, c'est ça la vie d'un gaucher: être toujours inconfortable.)

Pis à un moment donné, c'est devenu naturel.

Je me suis rendu compte de ça.

!

(évidemment que ça allait faire ça)

Je pense souvent à la manière dont je tiens mon crayon. C'est un peu bizarre. C'est pas du tout optimal; tout le poids de ma main repose sur mon petit doigt.

Quand je dessine chez moi, relaxe, quand je peux prendre des pauses, (ben oui! c'est rendu que je prends des pauses (hé ben!), mon petit doigt a le loisir de se reposer.

Mais dans un festival à faire des dédicaces non-stop pendant des heures et des heures...	Ou pire, l'épreuve suprême: les 24h de la bande dessinée...

J'ai jamais entendu parler d'un dessinateur qui aurait, en plein milieu de sa carrière, décidé de changer sa façon de tenir un crayon. C'est sûrement déjà arrivé, remarquez; mais j'en ai parlé avec quelques dessinateurs au cours des dernières années, et je remarque qu'ils tiennent <u>vraiment</u> à leur façon de tenir leur crayon; certains ont même essayé de me convaincre de changer pour la leur.

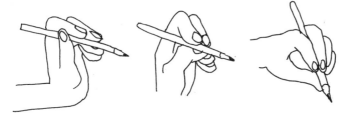

Ma position à moi me fait parfois mal et manque de souplesse, ce serait pas une mauvaise idée de changer.

Plutôt que de trouver une nouvelle façon de tenir mon crayon, parce que je suis confortable à court terme et que changer m'apporterait beaucoup d'inconfort, je m'invente tout plein d'histoires.

Mais en vérité, il faudrait juste que je me donne un coup de pied au cul et que j'accepte d'être dans une position inconfortable temporaire.

Même affaire avec les vieilles tounes que j'ai déjà montées au piano.

le problème, c'est que je ne me rends pas jusque-là dans mon raisonnement, parce que le plus souvent, je suis en train de jouer la toune. La tension dans le bras, les 2-3 notes pas égales, elles passent en une seconde, mon esprit dit «ouille, c'est pas égal», mais il a à peine le temps de se dire ça que PFFUIT! quelques secondes plus tard, il est déjà passé à autre chose: faire ressortir la mélodie, faire un phrasé dans une voix intermédiaire, gérer les articulations, les nuances, le tempo... L'occasion de modifier quelque chose est passée dans le beurre.

OU BEDON: je dessine un bonhomme, dans un angle pas super difficile mais pas non plus super habituel; mon manque de vision d'ensemble et de représentation tridimensionnelle me fera parfois dessiner un petit détail de manière pas super convaincante. Mon esprit aura un doute à la seconde précise où il apparaîtra sur ma feuille, mais le doute sera pas assez important pour que ma main arrête et PFFUIT! mon esprit est déjà ailleurs, sur l'expression faciale du personnage, sur l'angle de l'épaule gauche, etc.

= BEURRE.

Lâche pas

J'ai toujours eu envie d'apprendre à peindre... Mais j'ai 25 ans, il est trop tard...

J'ai toujours eu envie d'apprendre le piano... Mais j'ai 45 ans, il est trop tard...

J'ai toujours eu envie d'apprendre à dessiner... Mais j'ai 65 ans, il est trop tard...

→ Voir le commentaire de Yves Pelletier (page 199)

et le commentaire de Francis Desharnais (page 169)

J'entends ça tellement, tellement, tellement souvent.

Si tu t'es déjà dit ça, je te conseille la lecture de «L'homme qui prenait sa femme pour un chapeau», d'Oliver Sacks.

Ce sont des histoires vraies racontées par un neurologue; des histoires de gens qui ont eu un traumatisme crânien, ou qui ont développé des handicaps de cerveau bizarres.

Allo !

L'affaire qu'on retient de ce livre-là, c'est que le cerveau est extrêmement malléable.

Il trouve toujours un moyen de compenser le manque à quelque part d'autre

puis finit toujours par s'adapter.

151

J'ai enseigné le piano à des enfants et à des adultes, j'ai remarqué des différences. On suppose que les enfants apprennent plus vite parce que les connexions se font mieux et tout et tout, mais j'ai aussi une autre théorie (qui va probablement dans le même sens) :

L'enfant va devoir répéter 10 fois pour que ça rentre, l'adulte peut-être 15 fois. Mais l'enfant va se rendre au bout de ces 10 fois vraiment plus sereinement que l'adulte, parce que l'adulte sera plus vite frustré que ça marche pas.

Pis quand y est fâché, les connexions se font plus mal, pis ça va lui prendre 20, 30 répétitions au lieu de 15.

Voir les commentaires de Brigitte Findakly (page 173) et de Pierre Bouchard (page 175)

Cette peur de l'échec a pas vraiment de sens, puisqu'il est même pas question d'échec — si l'échec c'est de pas atteindre ses objectifs, ce serait quoi, ces objectifs-là ?

Je veux jouer sans fausses notes !

Ça n'arrive pas, même chez les pros — va voir des concerts au lieu d'écouter des enregistrements.

Je veux dessiner de manière réaliste!

Même des gens qui dessinent depuis toujours y arrivent pas...

Je veux faire un best-seller !!!

Dude...

Ce qui est difficile en art, c'est pas de faire quelque chose de bon! C'est de TERMINER QUELQUE CHOSE !

Voilà un objectif valable.

Terminer quelque chose, peu importe le résultat, peu importe si c'est super bon ou super moche, c'est ça la réelle réussite.

Comment faire pour terminer quelque chose ? Parce qu'on s'entend, c'est beaucoup de travail, beaucoup de remises en question, beaucoup de découragement.

La raison pour laquelle je fais de la bande dessinée doit être suffisamment puissante pour me motiver à passer à travers tous les obstacles.

Pour que les gens m'aiment!

Les gens vont pas plus t'aimer qu'en ce moment.

Pour qu'on me trouve bonne!

Meilleur moyen pour abandonner avant la fin: ce sera jamais assez bon.

Pour faire du CASH !

Avec de l'art ???? Enlève tes lunettes roses, chummy !

Pour gagner des prix!

Ha ha ha ha ha ha ha ha ha ha

Parce que j'ai envie de le faire !

HA ! VOILÀ !

PARCE QUE J'AI ENVIE DE LE FAIRE ! THAT'S IT !!!

Voir le commentaire de Boulet (page 217)

OK ! COOL !

Tu t'es setté un deadline,
t'es motivé à bloc, tu
travailles sur un album de
bande dessinée, tu sues
comme un cochon, tu
gagnes pas une cenne,
tu remets en question
chaque dessin et chaque
mot que t'écris, t'es jamais
sûr de rien et tu doutes
VRAIMENT de tout ce que
t'es en train de faire.

Je continue parce
que j'ai envie de
le faire !...

Aaaaah qu'est-
ce que ça va
être quand le
livre va
exister pour
de vrai ?...

Je vais le
tenir dans
mes mains !...
Je vais
être super
contente !..

Il va être
dans les
librairies et
je vais le voir
et je vais
être fière !

Je vais être
contente de
ce livre-là
POUR
TOUJOURS !

HA HA HA HA HA HA HA HA HA

NON.

C'est sûr que le livre terminé m'apporte une grande joie.
Mais cette joie-là, peu importe combien de temps j'ai passé sur
le livre, ça dure genre trois jours.

| Jour 1 | Jour 2 | Jour 3 | Jour 4 |

Certains comparent ça au post-partum (la déprime après la naissance d'un enfant): tu laisses aller le livre, il ne t'appartient plus.

C'est pas possible d'arriver à communiquer 100% de ce qu'il y a dans sa tête. Les différents backgrounds des gens filtrent l'information.

Pour un chapitre du présent livre, des chiffres au hasard :

A- Peut-être 5% des gens (probablement des gens qui me connaissent) vont à peu près interpréter comme moi.

B- Peut-être 75% des gens vont comprendre quelque chose, mais qui n'est pas ce que j'avais en tête - ils feront des variations, des raccourcis, des approximations...

C- Peut-être 20% des gens vont rien comprendre.

→ Wishful thinking.

Personne n'est dans ma tête.

Les gens sont-ils vraiment si sensibles à tout ce que j'écris ou dessine?

Combien se sont rendu compte que le S du mot «perspective» à la page 112 était mal colorié ?

À quel point les gens lisent-ils vraiment tout ce que je mets sous leurs yeux ?

Ce que les autres voient dans ce que je fais, c'est une projection d'eux-mêmes.

Le mieux, c'est peut-être de se dire que les gens comprendront pas, et puis basta. Un peu comme en poésie. Chaque lecture répond à la sensibilité du lecteur. Tu lances quelque chose à la mer, sans vraiment espérer que la bouteille se rende.

Mais bon.

En faisant «Ping-pong», tout le long, j'ai toujours eu le sentiment que j'étais vraiment stupide. Que j'écrivais des évidences ou des âneries. Que mes collègues me jugeraient. Que c'était nombriliste. Que j'étais minable. Que tout ce que je faisais était médiocre (maintenant, on sait ce que ça veut dire).

Pourquoi cette peur ?

Devant ce genre d'insécurité, mon premier réflexe est d'essayer de me justifier... d'imaginer la réplique et de me défendre... J'ai effacé beaucoup de passages où je me rendais compte que j'étais, pour aucune raison valable, sur la défensive.

Voir le commentaire de Jimmy Beaulieu (page 223)

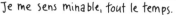

Je me sens minable, tout le temps.

Des fois, je m'imagine sur une barque, dans la brume.

| Oui c'est bon continue ça va aller lâche pas ! | Non c'est d'la merde ça même nulle part c'est ridicule ! | On s'en fout si c'est ridicule ! Faut juste terminer ! | Tout le monde est en train de rire de toi et de ta vanité ! | Ben non, tout le monde s'en sacre ! Vraiment ! |

Mais on est probablement nombreux à être comme ça.

Donc on a peut-être développé un tout petit peu d'empathie pour ce genre de sentiment poche chez l'autre.

On se comprend entre personnes qui doutent.

La plupart des gens comprendront pas les idées telles qu'elles existent dans ma tête (qui, du reste, ne sont pas des vérités), mais je crois que quelque chose arrive tout de même à traverser la brume qui nous sépare.

Un feeling.

Tout le monde s'en sacre si je crée ou si je fous rien. Y a personne qui va mourir si je produis rien, y a personne qui va ressusciter si je produis quelque chose. C'est complètement vain et j'aime ça comme ça.

Quand je regarde l'art des autres, ça me remplit de joie. Je vois les possibilités :

Waaaa aaaa !

Ce que les autres arrivent à faire, ce que moi-même je pourrais arriver à faire après beaucoup (BEAUCOUP) de travail.

Je veux faire pareil !

Je regarde ce que j'ai produit, je fais « meh ». À chaque fois que je vais finir un livre ou une compo ou une toune au piano, je vais probablement toujours faire « meh ».

Dans deux pages, je vais avoir fini de dessiner "Ping-pong". Pourquoi j'ai fait ce livre ?

Je me pose la question, mais je suis pas sûre qu'il y ait une réponse. Faire "Ping-pong" n'a peut-être aucun sens.

Ou alors, je peux lui en trouver un. Un sens tout à fait gratuit et arbitraire, un sens parmi des milliards d'autres possibles.

Peut-être que je l'ai fait pour sortir les idées de ma tête, pour les barrer de la liste et pour pouvoir passer à autre chose.

Peut-être que c'est pour me convaincre que ça vaut la peine de faire de l'art. Parce que je n'en suis pas convaincue à 100 %.

Quand je dis « tu » dans ce livre, à qui d'autre je m'adresse qu'à moi-même ?

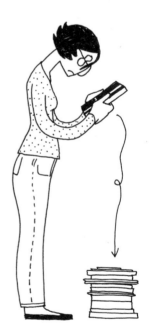

Peut-être que j'avais juste besoin d'être ma propre cheerleader.

Mais c'est mon souhait.

Deuxième partie

Le commentaire de Jean-Paul Eid

MOI À 20 ANS ⟵

(voir page 117)

QUAND J'ÉTAIS PETIT, J'ADORAIS DESSINER ET ÇA SE VOYAIT DANS MES DESSINS.

PUIS, LES ANNÉES ONT PASSÉ AVEC LE DUR APPRENTISSAGE DES RÈGLES: COMPOSITION, PERSPECTIVE, COULEUR...

ET UN JOUR, AU MILIEU D'UNE GRILLE-HORAIRE SURCHARGÉE, IL Y A EU CE COURS DE DESSIN DE BASE,

ET UNE LEÇON MÉMORABLE.

L'EXERCICE ÉTAIT FORT SIMPLE: DESSINER LE CONTENU DE LA BOÎTE SANS REGARDER,

SIMPLEMENT EN PALPANT L'OBJET!

①

Alors on a tous dessiné l'objet qui se trouvait dans la boîte.

UNE CLÉ.

Somme toute, les dessins se ressemblaient pas mal. On s'était donné un mal fou à essayer de reproduire méticuleusement chaque petite dent.

Or, la main n'a pas de point de vue. Pour identifier un objet, on va spontanément reproduire l'image mentale de la vision de cet objet.

Le prof nous a alors demandé pourquoi on avait dessiné cette face plutôt qu'une autre.

Pourquoi certains y avaient mis de la perspective? D'autres des ombres, des reflets? Alors que ces notions sont impalpables? Pourquoi nous évertuions-nous à dessiner ce que l'œil voit?

Dans les cavernes, nous dessinions des animaux non pas dans un souci de réalisme, mais bien pour qu'on les reconnaisse.

C'est quoi cette tache?

Ben... c'est un mammouth qui charge vu de face!

Moi, l'art moderne...

LES FRESQUES ÉGYPTIENNES FONCTIONNAIENT DE LA MÊME FAÇON. ILS SE FOUTAIENT PAS MAL DES RÈGLES D'ANATOMIE. IL FALLAIT SIMPLEMENT QUE ÇA SE RECONNAISSE AU PREMIER COUP D'ŒIL.

TÊTE DE PROFIL

TORSE DE FACE

BASSIN DE PROFIL

ALORS, ILS REPRODUISAIENT LES PARTIES DU CORPS DANS L'ANGLE LE PLUS FACILEMENT RECONNAISSABLE.

Y A-T-IL UN CHIRO DANS LA SALLE ?

SUR LA TAPISSERIE DE BAYEUX, TOUS LES PERSONNAGES SONT PRATIQUEMENT IDENTIQUES, PARCE QU'ON VOULAIT SIMPLEMENT ÉVOQUER DES FAITS ET NON PAS REPRODUIRE LA SCÈNE COMME ON L'AURAIT VUE SI ON Y AVAIT ÉTÉ.

ET PICASSO, QUAND IL DESSINAIT CE GENRE DE PORTRAIT, IL REPRÉSENTAIT LA SOMME DES PARTIES LES PLUS IDENTIFIABLES QUI, MISES ENSEMBLE, ÉVOQUAIENT LE SUJET QU'IL DESSINAIT.

DEUX YEUX, TANT MIEUX DEUX OREILLES, C'EST PAREIL DEUX ...

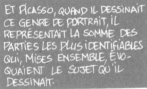

ET MOI, À 4 ANS, JE DESSINAIS DE LA MÊME FAÇON.

VOITURE VUE DE PROFIL

MAIS AVEC 4 ROUES... PARCE QU'UNE AUTO ÇA A 4 ROUES !

PUIS, ON A ATTAQUÉ LE SECOND EXERCICE.

3

167

UNE BOULE DE OUATE

PENDANT QUE LA PLUPART S'OBSTINAIENT À DESSINER DES PETITS NUAGES BALLONNÉS, MOI, QUAND JE FAISAIS ABSTRACTION DE L'IMAGE QUE J'AVAIS DE L'OBJET, LE SEUL MOT QUI ME VENAIT EN TÊTE, C'ÉTAIT...

DOUX

COMME CE DESSIN QUE J'AVAIS FAIT À LA MATERNELLE, CELUI OÙ J'AVAIS ÉCRASÉ MON CRAYON DE CIRE JUSQU'À EN DÉCHIRER LA FEUILLE. ÇA S'INTITULAIT "ACCIDENT DE VOITURES". J'AVAIS SIMPLEMENT ILLUSTRÉ L'ÉMOTION BRUTE QUE M'INSPIRAIT LA SCÈNE.

LE DESSIN, AVANT D'ÊTRE LA REPRODUCTION DE CE QUE L'ŒIL VOIT, C'EST DE L'EXPRESSION.

QUEL OST... DE TABARN... DE COURS DE NULS!

JE NE LE SAVAIS PAS ENCORE MAIS, CE JOUR-LÀ, J'AVAIS REÇU LA LEÇON DE DESSIN LA PLUS IMPORTANTE DE MA FORMATION.

EJD 2015

4

Le commentaire de Francis Desharnais

Allo!

(voir page 151)

En 2012, j'ai décidé d'apprendre à danser le swing.

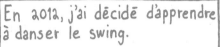

1... 2... 3... 4...
5... 6... 7...
8... 1... 2...
3... 4...

C'est quoi après 3?

Je partais de loin.

J'y suis allé à fond la caisse. Prenant plusieurs cours et perfectionnements, allant à un maximum de soirées de danse.

Mon apprentissage a été fulgurant.

R'garde-moé ça la courbe d'apprentissage ben tight!

C'est pas pour me vanter, mais je suis devenu quand même pas pire bon.

Je suis même arrivé...

2e

à une compétition de danse, c'est donc ben malade! Si on m'avait dit ça un jour je l'aurais jamais cru. tsé...

On m'a aussi proposé de faire partie d'une troupe.

Chorégraphie avec habits concordants

Sauf qu'à un moment, il devenait plus difficile d'acquérir de nouvelles capacités.

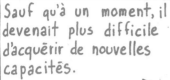

Hey! C'est quoi ce fléchissement-là?

Hum... pour progresser, il faudrait que je pratique plus souvent.

Hum... ouin... en dessin aussi, j'ai atteint un plateau dans mon apprentissage.

Et tant qu'à mettre plus de temps sur quelque chose...

C'est ainsi que je ne suis pas devenu Patrick Swayze.

francis desharnais mars 2015

170

Le commentaire de Pascal Girard

(voir page 69)

Allo

En 2008 (ou bien en 2007), j'étais gros et déprimé. C'était pas jojo du tout.

La première fois, je me rappelle, j'ai couru pendant environ 4 minutes.

J'ai donc commencé à courir.

C'était un mois d'été et il faisait très chaud.

Par la suite j'ai ajouté 30 secondes quotidiennement. Après 112 jours j'ai atteint le chiffre magique...

Oui, ma santé mentale et physique s'est améliorée.

UNE HEURE!

Merci de demander.

Le plus étonnant est que la course a également amélioré ma pratique d'auteur.

Pour occuper mon esprit pendant mon jogging, je m'étais fixé la contrainte de «travailler» sur mes bd.

Moi, j'avais toujours cru que **SPORT** et **ART** étaient aux antipodes!

J'«écrivais» et je «découpais» quotidiennement pendant cette heure.

J'ai rapidement réalisé que la scénarisation était beaucoup plus facile en mouvement qu'assis.

Du moins selon mon expérience personnelle.

Un peu comme si la course musclait mon cerveau autant que mes quadriceps.

À cette époque, j'avais également appliqué la règle du chronomètre à plusieurs sphères de ma vie.

clic clic clic clic clic clic

1h de course

1h de dessin

1h de lecture

1h de paperasse

1h d'Internet

etc.

Bon, aujourd'hui j'écoute des podcasts ou je « tente de faire le vide » en courant.

Et je confirme que je suis moins productif.

J'ai recommencé à procrastiner et à douter.

J'ai beaucoup plus de difficulté à rester concentré quand je m'assois devant ma table à dessin.

Bon... Je sais ce qu'il me reste à faire...

pascal

Le commentaire de Brigitte Findakly

Bonjour!

(voir page 152)

Québec, juillet 2014

J'ai décidé de faire un dessin par jour pendant 3 semaines

C'est la durée de mon séjour ici

Je ne sais pas si je vais y arriver

Ce ne serait pas la première fois que je décide de me remettre au dessin et que je laisse tomber face aux horreurs que je vois apparaître sous mes yeux

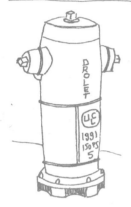

J'ai arrêté de dessiner vers 17-18 ans

Quand j'ai voulu m'y remettre des années plus tard, je me suis rendu compte que je n'y arrivais pas

Je dessinais ce que je pensais voir et non pas ce que je voyais

Tout était de travers, très moche

173

Je déchirais tout au fur et à mesure

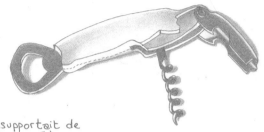

Ça m'insupportait de
voir tous ces échecs.
J'étais vexée, humiliée

On me disait que c'était normal,
le dessin c'est de la pratique,
et comme je n'avais pas dessiné
depuis longtemps, il fallait persévérer

Me voilà donc en train de faire
un dessin par jour

Comme c'est dur...
et douloureux de continuer à dessiner
en espérant que ça s'améliore

Et puis ce jour-là arrive !

Le dessin que je viens de faire me plaît.
Je suis épuisée, mais heureuse

Février 2015

J'ai fait 4 dessins en six mois
PFFF...

Le commentaire de Pierre Bouchard

(voir page 152)

a//o!

Je voulais seulement revenir sur l'apprentissage des techniques de dessin. La compréhension des couleurs, des volumes ou de la perspective est possible seulement si le ~~~~~~ développement cognitif s'y prête. *de l'enfant*

TADAM!

Wow! Tu dessines en 3d !

Kid paddle!

Je donne des cours de dessin aux enfants d'âge préscolaire. Quand j'me sens down dans ma vie, je leur montre un peu de perspective et je deviens subitement le king des magiciens.

Après maintes explications, ils finissent par ~~se mooiten~~ dessiner et je peux corriger leurs essais de perspective...

Yes, tu es super bon!

Continue!

ALEX

Bravo! →

L'illustration et la composition de l'image sont absolument mignonnes. Elles passent exclusivement par la schématisation de tous les objets, et ces objets doivent être compréhensibles, du moins par ~~xxx~~ l'auteur du dessin.

A ← prince

Lit debout parce que de côté on voit pas que c'est un lit.

gâteau géant

plan de coupe

la princesse est dans le château.

B — Une partie de hockey.

C ← Ma fête

allo

D

> ciel
> nuage hors du ciel
> (ciel?)

arbre →

personne

terre

Fleur géante

C'était seulement quelques exemples sympathiques. Celui de la bande de ciel en haut de la page d'un dessin est un classique. Pourquoi, dans le développement d'un enfant, il en vient à reproduire le ciel et la terre en deux bandes minces bordant la page? Et ces arbres au tronc énorme, les fleurs avec des yeux, le soleil avec des yeux, l'arc-en-ciel à 4 bandes bien définies, le chapeau qui ne tient pas bien sur la tête, les bras à moignons? Alors on se demande: pourquoi? les enfants ignorent autant la réalité? Non, les fleurs ne parlent pas!

Ici on a le ciel, habituellement coloré d'une seule couleur, soit bleu flash pour le jour ou noir pour la nuit.

Cet espace est le plus mystérieux de tous. Si ce n'est pas le ciel, c'est quoi?

Le soleil, toujours joyeux, est hors du ciel, c'est-à-dire de l'espace bleu au-dessus de la feuille. Il est jaune avec six ou sept rayons.

la logique de celles que l'on vit mais pas celles de la perspective ni de celles qui suit les règles de la perspective

Un chemin dans la forêt qui suit les règles de la perspective

Des arbres bien spéciaux, on dirait des carottes.

Le commentaire de Guillaume Pelletier

Allo!

(voir page 76)

J'ai récemment lu une entrevue avec Aphex Twin qui m'a beaucoup fait réfléchir.

Il y disait deux choses très intéressantes. La première (je paraphrase):

«Ça peut paraître prétentieux, mais la musique que je fais, c'est ma musique préférée.»

Ma réaction immédiate a été : Ostie de fendant!

Mais une seconde plus tard, je me suis dit : Attends minute... Pourquoi devrait-il en être autrement ?

Si tu passes ta vie à créer quelque chose, comment cette chose-là pourrait ne **pas** être ta préférée ?

Et si ce que tu crées n'est pas ta chose préférée, n'es-tu pas en train de passer à côté de la vraie chose qui devrait t'occuper?

N'es-tu pas en train de te cacher à toi-même et aux autres ?

La deuxième chose intéressante tirée de l'entrevue :
« Ça ne m'importe pas tellement de partager ma musique, parce que je la crée avant tout pour ma consommation personnelle. »

Ça m'a fait penser à une chose : Admettons que je doive passer le reste de ma vie coupé de tout contact social, mais que j'aie l'opportunité de créer tout ce qui me plaît, mais qu'on m'ait informé que ma création n'allait jamais être présentée à quiconque, puis allait être détruite à ma mort...

Dans ce scénario, les pressions sociales n'existeraient pas, et l'ego non plus. La création deviendrait donc une activité vouée seulement au plaisir et au bonheur de son créateur.

Devrais-je chercher à me mettre dans cet état d'esprit quand je travaille ?

Mais qu'est-ce que je créerais dans une telle situation ?

Guillaume Pelletier

Le commentaire de
Luc Bossé

(voir page 76)

Aï...

PFT

Ahem.

Allô Zviane.

Je comprends ton enthousiasme pour le dessin.

Et je suis un peu jaloux.

Pour moi, le dessin est une source de frustration.

Ce n'est pas par manque d'intérêt.

Loin de là !...

C'est parce que depuis environ cinq ans ...

J'ai des douleurs au bras.

Pour être plus précis, j'ai mal au poignet...
au coude
à l'épaule
et surtout au cou.
Euh...
Je ...
Je dessine donc rarement.
Mon temps de dessin est donc très précieux.
Et je n'ai pas le luxe de pousser mon dessin.
Depuis quelque temps, j'ai changé mon approche.
Je me limite à des séances de dessin d'une trentaine de minutes.
À raison de deux ou trois fois par jour.
C'est pas plutôt parce que t'es paresseux?
?
Hm.
C'est pourquoi j'ai une approche au style minimaliste.

Quand je fais de la bande dessinée, je me concentre sur le message.
Chaque trait de crayon est important.
Je dois aller à l'essentiel.
Mon objectif est de rendre la lecture la plus fluide possible.
Et que l'histoire soit compréhensible.
Pour ne pas surtaxer mon bras...
les décors sont gardés au strict minimum.
TOUSSE
TOUSSE
Paresseux.

Bref, parce que j'ai des contraintes physiques...
mon défi se trouve dans l'efficacité.
Je dois parfois me contenter de dessins moins bons.
C'est pourquoi je trouve ta question «C'est quoi un bon livre?» intéressante.
Je me pose souvent cette question à propos de mes dessins.
Suis-je assez bon pour savoir si c'est bon?
HA HA HA HA HA HA
T'as quelque chose à dire?
Non non.
C'est super bon.
Laisse faire.
Je suis sérieux.
Ta ligne est claire.
La lecture est fluide.
Tu te concentres sur le message.
Ça rend tes jokes de pet vraiment efficaces.
Luc Bossé

Le commentaire de Antonin Buisson

(voir page 63)

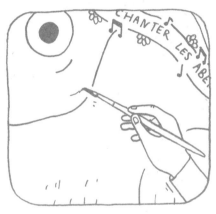

LORSQUE JE CHERCHE DES IDÉES, J'AI UNE PRÉFÉRENCE POUR LES MUSIQUES INSTRUMENTALES OU ENCORE MIEUX, POUR LE SILENCE. CETTE PHASE D'INCUBATION ME DEMANDANT UN EFFORT CONSIDÉRABLE DE CONCENTRATION, C'EST MIEUX AINSI...

PAR CONTRE, EN PEINTURE, C'EST UNE AUTRE HISTOIRE!

LORSQUE VIENT LE TEMPS DE PEINDRE, J'AI UNE PRÉFÉRENCE POUR LA MUSIQUE CHANTÉE. LES PAROLES DES CHANSONS ME TRANSPORTENT ALORS AILLEURS...

Le commentaire de Maître Niko

(voir page 140)

TU APPRENDS À PROGRAMMER

ÉTAPE 1 — TU COPIES DU CODE

WORD PRESS

ÉTAPE 2 — TU MODIFIES DU CODE

WORD PRESS EN COULEUR

ÉTAPE 3 — TU CRÉES DU CODE

EN COPIANT JUSTE LES BOUTTES DIFFICILES

WORD LESS

ÉTAPE 4 TU ÉCRIS TON PROPRE CODE !

ÉTAPE 5 TU TOMBES DANS LE *PIT OF DESPAIR*

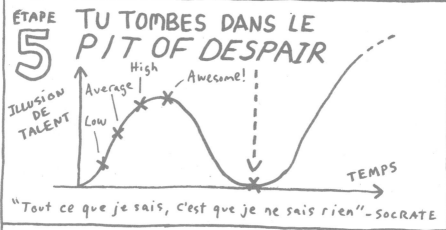

ILLUSION DE TALENT

Low — Average — High — Awesome!

TEMPS

"Tout ce que je sais, c'est que je ne sais rien" - SOCRATE

ÉTAPE 6

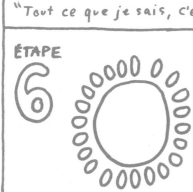

LA 6ᵉ ÉTAPE C'EST L'OMNISCIENCE, MAIS JE N'EN SUIS PAS CERTAIN, JE NE L'AI PAS ENCORE ATTEINTE. C'EST COOL J'IMAGINE.

Le commentaire de Cathon

(voir page 28)

Moi, à 6 ans, j'étais à la maternelle et on nous avait demandé de faire des portraits. Cinq portraits, pour être exacte.

J'en ai fait quatre pas pire, mais rendue au dernier, j'ai rencontré un problème.

J'avais dessiné une SUPER DE BELLE FILLE avec de longs cheveux blonds.

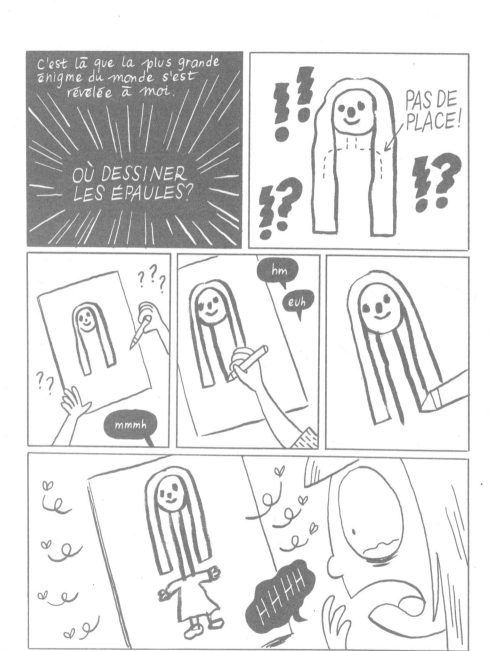

QUELLE HONTE!

Je sais pas si cet épisode-là m'a traumatisée ou de quoi, mais depuis ce jour-là, j'ai un

FUCKING BLOCAGE
AVEC LES COUS.

Ça me faisait peur. Je refusais de faire face à mon problème.

C'est seulement plus tard, pendant mes études en arts, que mes professeurs m'ont graduellement aidée à affronter mes émotions.

♪ la la la la je suis super bonne

Voyons donc, quessé ça!

C'est donc ben laitte, elle a même pas de cou!

C'est weird.

HA! HA! HA!
HA! HA!
HA! HA!
HA!
HA! HA! HA!
HA!
HA!
HA! HA!
PAS DE COU!
HA! HA!

Bien sûr, aujourd'hui, tout ça est derrière moi. Je n'ai plus peur des cous. Les cous c'est nice. C'est magnifique un cou. Oui oui oui oui ha ha.

Mais pourquoi maintenant les cous ils sont

Ta yeule.

CATHON

194

Le commentaire de Saturnome

(voir page 65)

À un moment donné je me suis rendu compte que j'oubliais quasiment tout ce que je regardais.

Même si j'ai vu quelque chose il y a une semaine et que je l'ai adoré, je n'arrive déjà presque plus à en décrire le contenu narratif.

Je me sens toujours perdu lorsqu'il est question d'une scène précise dans un film que tout le monde a vu dans sa jeunesse, genre un vieux Disney...

La seule chose que j'ai du talent à me souvenir, ce sont les dates.

Man c'est quoi déjà le film avec des sabres lasers pis des droïdes dans l'espace?

Ché-tu

meh

Oui! Ça date de 1977!!

mais non je sais pas non plus.

(Bon j'exagère un peu.
Je sais qu'il s'agit de
Blade Runner.)

La question est: à quoi ça sert d'être cinéphile si c'est pour presque tout oublier ensuite?

Est-ce qu'il me reste quoi que ce soit d'utile lorsque je veux créer à mon tour?

J'ai une image, une couleur, un feeling...

Ce film-là c'est comme...

Jaune orange!

Pis y a des bouttes qui font gniiiiiii!!

Pis d'autres que c'est splooooutch!

... mais plus que ça, plutôt quelque chose comme une manière de voir les choses.

Deviens jamais critique de film.

De mon point de vue, la culture est un voyage, découvrir ce qui se passe ailleurs que dans notre tête, savoir comment le voisin voit les choses.

Ouuh!

PAF!

On se projette aussi dans les oeuvres, mais c'est une autre histoire...

Je trouve ça un peu triste les gens qui utilisent la culture strictement comme un terrain familier pour y sentir du réconfort, et ne restent que dans une niche qu'ils connaissent bien.

À défaut de pouvoir me rappeler les évènements d'une oeuvre narrative, il m'en reste tout de même une vision et un propos, des éléments qui s'ajoutent à une banque de données intangibles et avec lesquels je peux faire des connexions et créer.

Ça fait que je peux arrêter de m'en faire de ne pas me souvenir de l'orange dans Orange mécanique.

Le commentaire de Yves Pelletier

(voir page 151)

Le commentaire de Julie Delporte

(voir page 81)

Allo

j'aime vraiment Maurice Pialat.

dans ses films je sens la vie.

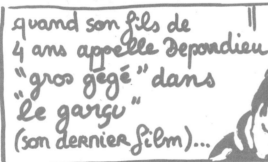

quand son fils de 4 ans appelle Depardieu "gros gégé" dans "le garçu" (son dernier film)...

ou quand, sur le tournage d'"à nos amours", les acteurs ne savent plus si Pialat les insulte eux ou leurs personnages.

Pialat disait:
"le cinéma,
c'est la vérité
du moment
où l'on tourne."

quand on écrit/dessine,
il n'y a pas de tournage, mais
il y a une tête et une main:

("van Gogh", 1991)

... un corps
qui tient un
crayon.

moi, je veux sentir qu'il se
passe quelque chose pour l'auteur
au moment où il tient ce crayon.

sinon, même
très bien dessiné,

ou très bien
raconté,

le livre me semble un objet
mort.

MoMA

(à gand en belgique, il y a dans un
parc une oeuvre de leo copers : chaque
grand musée du monde a sa pierre
tombale ; un cimetière de musées.)

Récemment, j'ai peint avec le fils de mon amie Lise : il a à peine 2 ans.

je suis incapable de reproduire la vie, la force qu'il y a dans ses peintures.

cy twombly

et ce n'est sûrement pas en essayant de faire quelque chose de "bon" que je vais y arriver.

julie delporte - 2015

Le commentaire de
Alexandre Fontaine Rousseau

(voir page 34)

ALLO!

J'avais complètement oublié la typo-morphologie des sons. Mais je me souviens que j'avais étudié cette classification dans mes cours de cinéma, à l'université.

C'est drôle parce que moi, j'écoute pas mal de musique. Alors le tableau de Pierre Schaeffer, j'ai le goût de l'utiliser pour analyser de la musique...

... plutôt que, par exemple, des sons de crotte qui tombe dans la cuvette. Genre.

Je possède une relativement grosse collection de musique électronique expérimentale des années 60 et 70. Je fais notamment une petite fixation sur le Groupe de recherches musicales (GRM), qui a justement été fondé par Schaeffer en 1958.

P.-S.—Je suis scénariste et non dessinateur.

J'aime ça, écouter ça. J'ai l'impression d'entendre du monde vivre l'expérience d'explorer une nouvelle planète. Pour moi, c'est un peu comme de la science-fiction sonore.

Sauf que je sais que c'est de la musique de nature « savante » que j'écoute un peu en sauvage. Alors, des fois, j'ai l'impression de ne pas y «comprendre» grand-chose.

Mais peut-être que si j'appliquais la typo-morphologie des sons dans le cadre d'une séance d'écoute active d'une pièce électroacoustique donnée, je me sentirais vaguement moins cave.

En plus!

ça va être!

DRÔLE!

Le problème, c'est qu'à force d'essayer de catégoriser individuellement tous les sons et de décrire de manière cartésienne chaque élément de la pièce que l'on écoute, on perd de vue l'ensemble.

En plus, la terminologie prend inévitablement le dessus sur les images ; et penser en termes d'itération formée, ça ne m'inspire pas grand-chose.

C'est drôle, parce que tu dis que si tu pouvais avoir « le vocabulaire pour tout », alors « tout serait exquis, tout le temps! ».

Mais, dans les faits, je trouve que c'est bien plus plaisant d'improviser des descriptions qui ne respectent pas une grille préétablie.

Je ne suis pas contre l'idée d'inventer des taxinomies. Mais quand je me mets à les appliquer, j'ai l'impression qu'une opération légèrement stérile de classification se substitue à l'acte d'interpréter.

 QUESTION: Suis-je désormais un illustrateur?
RÉPONSE: NON.

Personnellement, je pense que les systèmes peuvent figer la créativité. À mon avis, l'art est justement l'un des rares territoires utopiques où l'on peut encore se libérer de l'idée même de «règles».

Dans *Le partage du sensible,* Jacques Rancière oppose au régime représentatif ce qu'il appelle le régime esthétique des arts.

« Le régime esthétique des arts est celui qui proprement identifie l'art au singulier et délie l'art de toute règle spécifique, de toute hiérarchie des sujets, des genres et des arts. [...] L'état esthétique est pur suspens, moment où la forme est éprouvée pour elle-même. Et il est le moment de la formation d'une humanité spécifique. »

L'important, au fond, c'est que l'art nous permette d'entretenir un rapport poétique au monde. D'entretenir un contact sensible avec le réel. Pis si, pour toi, ça passe par le fait de pouvoir affirmer...

... «une crotte qui tombe dans une cuvette produit un son à la facture ponctuelle, à la limite formée, à la masse peu variable et au son cannelé», bin c'est tant mieux pour toi!

AFR

210

Le commentaire de Richard Suicide

(voir page 82)

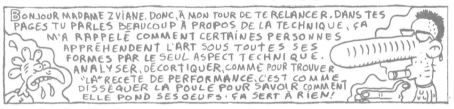

ÇA ME RAPPELLE LA FOIS OÙ J'AI ASSISTÉ À UNE MASTER CLASS DE DESIGN-LAYOUT DONNÉE PAR UN TYPE QUI SE PRENAIT PAS POUR DE LA MERDE. CE QUI ME DÉPRIMAIT, C'ÉTAIT PAS TELLEMENT LE DUDE QUI DÉBITAIT SA VÉRITÉ EN CANNE...

HOW TO DRAW AND THINK

...C'ÉTAIT SURTOUT LE TROUPEAU DE GEEKS QUI ÉTAIENT LÀ À BOIRE SES PAROLES, PRÊTS À S'ARRACHER LES DEUX PIEDS POUR QU'ON LEUR VENDE LA MARCHE À SUIVRE.

QU'EST-CE QU'Y RACONTE CUI-LÀ?

WOW!

BEN, Y DIT QUE SI T'ACHÈTES PAS SON LIVRE, T'ES NUL, CON ET PROFONDÉMENT LOOSER...MALADE, HEIN?

JE TRAVAILLAIS ALORS AU DESIGN-DÉCOR POUR UNE BOÎTE DE FILMS D'ANIMATION. J'ME FAISAIS SUER À TORCHER DES PERSPECTIVES CASSE-CUL.

Y A QUELQU'UN QUI AURAIT UNE SUPER LONGUE RÈGLE? PARCE QUE LÀ, MON POINT DE FUITE EST RENDU À SASKATOON "NEAR URANUS"...

HA..OK, LAISSEZ TOMBER.

ÉVIDEMMENT, J'AVAIS PAS LE CHOIX DE FONCTIONNER COMME ÇA, STANDARDI-SATION OBLIGE. BIEN QUE DES FOIS J'ESSAYAIS DE METTRE MA "TOUTCH".

T'ES BUILDINGS SONT TOUT CROCHES, METS TON POINT DE FUITE PAR ICI!

OUI MAIS ÇA VA FAIRE DUR COMME ÇA,

M'EN FOUS!

SCRITCH SCRITCH

BON, BEN TU VAS ME REFAIRE TOUTE LA SÉQUENCE!

ET TA MÈRE? ELLE AIME ÇA LES SÉQUENCES, TA MÈRE?

EN FAIT, APRÈS AVOIR ASSIMILÉ LES RÈGLES, TECHNIQUES ET AUTRES CARCANS ESTHÉTIQUES, IL FAUT LES OUBLIER AU PLUS VITE, LES LANCER LOIN LOIN LOIN OU METTRE LE FEU DE DANS.

C'EST VRAI QUE ÇA SENT LE CUL QUAND ÇA BRÛLE, DES PRÉCEPTES DE MERDE!

SHIT!

PT

PT

FOU!

L'OVERDOSE DE TECHNIQUE, D'ANALYSE GRAPHIQUE ET DE CONSEILS BIDON, ÇA CONTAMINE LA SPONTANÉITÉ, ÇA SCLÉROSE LA CRÉATION, EN BREF, ÇA APLATIT PUISSANCE MILLE, TOUT LE MONDE PROPRE, TOUT LE MONDE PAREIL. RIEN D'INQUIÉTANT, LE MIEUX SERAIT D'ALLER SE PERDRE DANS LE DÉSERT RESPIRER UN PEU D'AIR FRAIS.

HEU... LE DÉSERT, C'EST UNE IMAGE. C'EST PAS POUR VRAI...

M'EN FOUS, ET PIS DE TOUTE FAÇON, TU METS VRAIMENT TROP DE TEXTE. C'EST TA FAUTE.

TIENS, OK, POUR CONTINUER JE VAIS TE RACONTER L'HISTOIRE D'UN TYPE. APPELONS-LE PÉPITO. PÉPITO TRAÎNAIT UNE MÉLANCOLIE SPONGIEUSE ET GLUANTE DEPUIS SA NAISSANCE.

SOB!

LA VIE EST UNE MERDE SYMÉTRIQUE À 45°.

LE FAIT DE VIVRE DANS UN UNIVERS EXCLUSIVEMENT BASÉ SUR LA PERSPECTIVE CAVALIÈRE LE RENDAIT MALHEUREUX COMME UN CONTAINER DE POLONAIS.

VITE! DONNEZ-MOI UNE TRAJECTOIRE ALÉATOIRE.

OR, CETTE EXISTENCE DE MERDE SANS MYSTÈRE NI SURPRISE NE LUI OFFRAIT QUE DES QUADRILLÉS DE DÉPRIME TOTALE À MOURIR SÉCHÉ PAR L'ENNUI.

BOULI FLAKES

HONK HONK 45

TRASFORMEZ-MOI EN PURÉE, PAR PITIÉ.

MÊME SES HISTOIRES D'AMOUR FINISSAIENT DANS LE TIROIR DU BRUN-BEIGE PRÉVISIBLE ET DOUBLE-BAILLANT.

OUI MAIS, JE VOUS AIME VANESSA. SOYONS FOUS ET PARTONS POUR VLADIVOSTOK!

HEU...

JE CROIS QUE ÇA VA PAS ÊTRE POSSIBLE.

POUR LE SORTIR DE SA TORPEUR, SES AMIS AVAIENT L'HABITUDE DE L'AMENER DANS DES ENDROITS REMPLIS DE JOIE INTENSE.

C'EST LAA,

ABABA

C'EST LAA, C'EST L'APÉROO!

HAAA, LAISSEZ MOI DEVENIR DE LA MORVE.

YO

R

GLO

JAUNE.

MAIS RIEN N'Y FAISAIT. LA BUDWEISER GOÛTAIT TOUJOURS LA COORS LITE ET LES AILES DE POULET AVAIENT UNE TEXTURE DE CACAVROUM.

PACIORETTY LANCE ET COMPTE.

PACIORETTY LANCE ET COMPTE.

SOUVENT, L'ANGOISSE ET LE DÉSARROI L'ATTIRAIENT LÀ OÙ L'ABSENCE DE POINT DE FUITE AMÈNE TOUT HOMME RESPECTABLE À EMPRUNTER DES ANGLES DOUTEUX.

À MOI LES BOUTEILLES FOLLES QUI FONT OUBLIER LE VIDE CARTÉSIEN.

CHEZ ARCHIMÈDE DÉBIT DE BOISSON

SHOOTER À GOGO 1

IL Y PLEURAIT TOUTES LES LARMES DE SON CORPS, TOUT EN PRENANT BIEN SOIN DE REMPLACER LE LIQUIDE PERDU!

GLODOGLOBLOGDBDOLGODLO BLODODOLGLODOBLOBDGOLO BLOGBDOLOBLOBLOGOLDOL BGOBLOBGDOBOG

LE CUL-DE-SAC DE SA VIE LUI SAUTA AU VISAGE. IL FALLAIT BIEN SE RENDRE À L'ÉVIDENCE : IL CADRAIT DANS CE GRAND TOUT COMME UNE BOTTE DE RUBBER DANS UNE JAMBE DE BOIS. SUR CE, IL S'ÉCROULA MOLLEMENT PARMI LES CONTENANTS VIDES.

SBLAFFE

C'EST ALORS QU'IL EUT UNE RÉVÉLATION ÉPIPHANIQUE INTENSE DE TYPE BRUN BOUTEILLE!

SUR LE COUP, PLUS RIEN NE LUI SEMBLAIT PAREIL. LES ANGLES MORTS AVAIENT FAIT PLACE AUX LIGNES CROCHES ET LES COURBES DOUTEUSES BOTTAIENT LE CUL AUX PARALLÈLES INFINIMENT PLATES À CHIER!

SA VIE EN SERAIT CHANGÉE À JAMAIS. CAR IL AVAIT MAINTENANT DÉCOUVERT LA PERSPECTIVE EXPRESSIONNISTE! DES ANNÉES DE JOIE INTENSE S'ÉLEVAIENT DEVANT LUI.

ET PIS, ÇA COÛTE VRAIMENT PAS CHER D'OPTOMÉTRISTE.

RSUICIDE   WPARANO

Le commentaire de Lewis Trondheim

(voir page 127)

J'ENVOIE MA PAGE ET DANS LA FOULÉE ZVIANE ME RÉPOND:
"SUPER! MAIS J'AVAIS DIT 2004 PAGES, T'AS PAS RESPECTÉ LA CONTRAINTE! (J'ai peut-être pas été claire, je veux un nombre pair de pages.)
SINON, SI JE PEUX RÉAGIR:
UNE NOTE JOUÉE PAR UN INSTRUMENT RESTE LA MÊME? UNE NOTE AU MILIEU D'AUTRES DOIT ÊTRE JOUÉE DE LA MÊME FAÇON?
UNE NOTE DANS UN CERTAIN CONTEXTE A EXACTEMENT LA MÊME SIGNIFICATION QUE DANS UN CONTEXTE DIFFÉRENT? ET ELLE EST JOUÉE EXACTEMENT DE LA MÊME FAÇON À CHAQUE FOIS, PEU IMPORTE SI JE JOUE CHEZ MOI OU DANS UNE ÉGLISE, PEU IMPORTE L'INSTRUMENT?...
PEU IMPORTE SI ELLE EST COMPRISE DANS UN ACCORD MAJEUR OU DANS UN CLUSTER DE 88 NOTES, DANS UNE BERCEUSE OU DANS DU HEAVY METAL OU DANS DE LA MUSIQUE INDIENNE?"
EH!
JE PEUX DIRE CE QUE JE VEUX, MADAME LA PROFESSEURE!
MÊME SI JE ME TROMPE.
D'AILLEURS, J'AI BIEN BOSSÉ... JE VAIS FAIRE UNE PAUSE MUSICALE
wow ooow
voix mal placée
mauvais anglais
accord fait avec le pouce
tempo pourri
heureux quand même
Leif Tronheim

Le commentaire de Boulet

(voir page 153)

JE M'ÉTAIS AMUSÉ D'UN DÉTAIL, UN JOUR : À LA FIN DE "DÉSŒUVRÉ", TRONDHEIM SE REPRÉSENTAIT COMME UN PERSO DEBOUT À LA CROISÉE DES CHEMINS, DEVANT CHOISIR UNE VOIE.

MOI, À LA FIN DE "NOTES", JE ME REPRÉSENTAIS ASSIS, EN TRAIN DE DESSINER, ENTOURÉ DE GENS QUI REGARDENT.

ET TOI, CHÈRE ZVIANE, TU TERMINES "LA PLUS JOLIE FIN DU MONDE" EN GRIGNOTANT UN HORIZON INFINI DE LIVRES, COMME UNE TERMITE.

CE QUE JE TROUVE INTÉRESSANT, C'EST QU'ON SE TROUVE TOUS LES TROIS DANS UNE "FAMILLE" DE BD.

RAYON "BRANLEURS QUI RACONTENT LEUR VIE".

MAIS L'UN VOIT UNE ROUTE, L'AUTRE UNE SCÈNE, ET LA TROISIÈME UN BUFFET INFINI.

ALORS COMMENT PEUT-ON AVOIR TROIS APPROCHES SI DIFFÉRENTES ?

"LE VOYAGEUR"

"LE CRÂNEUR"

"L'AFFAMÉ"

PARADOXE D'AUTANT PLUS GRAND QUE NOUS L'AVONS TOUS LES TROIS EXPRIMÉ DANS DES FORMATS SIMILAIRES, PLUS OU MOINS AUTOBIOGRAPHIQUES, ET TOUS LES TROIS DANS LES DERNIÈRES PAGES DE NOS LIVRES.

218

MOI JE SUIS NUL EN MUSIQUE, MAIS J'AIME LA BIOLOGIE. DU COUP J'AI TENDANCE À COMPARER LE DESSIN À DES TRUCS BIOLOGIQUES. COMME :

COMMENT ON DEVIENT UN AUTEUR ?

LA PREMIÈRE IMAGE QUE J'AI EN TÊTE EST UN JARDIN. TU COLLES UNE GRAINE DANS DU BON TERREAU ET RIEN NE SE PASSE...

... ET CELLE QUE TU AS LAISSÉE TOMBER CONTRE LE MUR SEC POUSSE COMME UN BAOBAB.

IL A DÛ Y AVOIR UNE BONNE COMBINAISON DE FACTEURS. LA VITALITÉ DE LA GRAINE. SON PATRIMOINE GÉNÉTIQUE. SON EXPOSITION AU SOLEIL...

MAIS ALORS, TOUT SERAIT JUSTE DE LA **CHANCE** ?

ON VA DIRE : IL FAUT DU **TALENT** ? NON. J'AI VU DES GENS BEAUCOUP PLUS DOUÉS QUE MOI ARRÊTER, STAGNER, OU "NE PAS MARCHER".

IL FAUT DU **TRAVAIL** ? CERTES, MAIS PAS QUE. J'AI VU DES GENS BOSSER 14 HEURES PAR JOUR SANS ARRIVER À RIEN.

ET D'AUTRES METTRE QUELQUES HEURES POUR UN CHEF D'ŒUVRE.

IL FAUT DE **BONS PROFS** ? OUI ET NON. MOI J'AURAIS PAS PU FAIRE SANS, MAIS IL Y A PLEIN D'EXCELLENTS AUTODIDACTES.

LA PERSÉVÉRANCE, L'ORIGINALITÉ, LE SOUTIEN DES AUTRES, LA CURIOSITÉ, L'IMAGINATION...

POUR CHACUN J'AI DES EXEMPLES DE "ÇA MARCHE / ÇA MARCHE PAS".

EN FAIT, NOTRE MONDE EST UNE JUNGLE CHAOTIQUE, TOUTES LES CONDITIONS SONT À LA FOIS RÉELLES ET ALÉATOIRES DANS LE DOSAGE.

LA CHANCE N'EST PAS UN CRITÈRE DE RÉUSSITE, ELLE EST LE SOL. LES CRITÈRES (LE TALENT, LE TRAVAIL...), C'EST LA GRAINE.

TIENS, IL SEMBLERAIT QUE JE M'EN SORTE ALORS QUE 99% ONT RENONCÉ MALGRÉ DE MEILLEURES DISPOSITIONS...

C'EST BIZARRE.

FINALEMENT, LE SEUL POINT COMMUN, C'EST L'ENVIE DE LE FAIRE. EN BIO, CE SERAIT CE QU'ON APPELLE "L'INSTINCT DE SURVIE".

TANT QU'ON SE DIT "JE SUIS AUTEUR", ON L'EST. QU'ON SOIT LE MEILLEUR OU LE PIRE DANS CE QU'ON FAIT.

BREF, POUR RÉSUMER : UN AUTEUR, C'EST UN TRUC FLOU QUI N'A PAS DE RECETTE DE FABRICATION ET QUI EXERCE UN MÉTIER INDÉFINISSABLE AUX LIMITES FLUCTUANTES.

AUTREMENT DIT : NOUS SOMMES TOUS DES PUTAIN D'ORNITHORYNQUES.

"LE PUTAIN D'ORNITHORYNQUE"

-BOULET-

Le commentaire de Réal Godbout

Allô !

(voir page 68)

Je ne prends presque jamais de photos. En fait, je n'aime pas tellement ça.

En voyage, alors que tout le monde veut rapporter son petit souvenir, je me contente de regarder et d'enregistrer tout ça dans ma tête. Si ça vaut la peine, je m'en souviendrai.

Je ne fais pas non plus partie de ces dessinateurs qui ont toujours le carnet à la main pour croquer tout ce qu'ils volent. Le plus souvent, crayons et papier restent au fond de ma valise.

Qu'est-ce tu fais ?!

Oui, oui, j'arrive !

Dépêche-toi, on t'attend !

Si je veux revoir les images, il y a toujours Internet.

De toute façon, je préfère regarder la carte...

J'admire beaucoup ceux qui peuvent dessiner n'importe quoi, n'importe où, n'importe quand.

Moi, pour dessiner, j'ai besoin d'un projet. Et du désordre de ma table à dessin.

Je suis un dessinateur sédentaire.

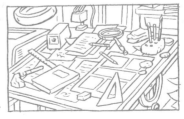

Je ne suis pas trop mauvais en dessin (enfin, j'espère), mais totalement nul comme photographe. Je sais que la photographie est un art et je peux reconnaître une bonne photo quand j'en vois une, mais j'ai du mal à me faire à l'idée qu'on puisse produire une image seulement en appuyant sur un bouton.

Pourtant, j'utilise abondamment les images et références photographiques pour dessiner. Ça me tient lieu de croquis.

Mais, comme je n'ai pas l'œil du photographe, ça donne au final quelque chose de totalement différent. Je fais de la BD, pas du roman-photo. Il me semble que c'est à partir du moment où on se détache de la réalité que le vrai travail commence et que les choses deviennent intéressantes.

Certains appellent ça de la caricature. Moi, j'appelle ça du dessin.

Le commentaire de
Jimmy Beaulieu
(voir page 156)

Chère Zviane,

J'avais écrit un texte. Une réponse à ta question «Qu'est-ce qui fait que quelque chose est bon?».

Je l'ai retourné dans tous les sens pendant des semaines, voire des mois...

J'ai refait le lettrage à peu près sept fois.

C'était une critique du contrôle qui finissait par être contrôlante, une apologie de l'estime réciproque entre auteur et lecteur qui finissait par être condescendante, un éloge des aires ouvertes qui finissait en cul-de-sac.

1.

Bref, c'était vulgaire et dogmatique (pléonasme?), alors j'ai sacré ça aux vidanges.

Quand j'essaie de m'expliquer par écrit, ça tourne presque toujours au vinaigre.

Dans mes mains, la dissertation devient de la magie noire.

Je sais pas pourquoi je m'entête à baser mon travail sur le verbe...

Alors que le dessin m'a toujours si bien guidé.

Tout ce qui était valable, dans l'essai raté, c'était ce passage :

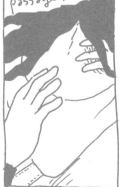

2.

Ce que les relations interpersonnelles ont à nous apprendre sur le dessin (et sur notre métier d'auteur en général):

Le contrôle n'a sa place que s'il est sollicité, dans l'esprit du jeu;

C'est l'amour qui nous fait trouver les meilleurs gestes.

3.

4.

TABLE DES MATIÈRES

Ping-pong

Ping-pong a été achevé d'imprimer en mai 2015 sur du papier qui contient 100 %
de fibres postconsommation, sur les presses de l'imprimerie Gauvin à Gatineau.

Révision : Judith Langevin et David Rancourt

Dépôt légal – 2ᵉ trimestre 2015
Bibliothèque et Archives nationales du Québec
Bibliothèque et Archives Canada
ISBN 978-2-924049-24-2

Nous remercions le Conseil des arts du Canada de son soutien. L'an dernier,
le Conseil a investi 153 millions de dollars pour mettre de l'art dans la vie des
Canadiennes et des Canadiens de tout le pays.

We acknowledge the support of the Canada Council for the Arts, which last year
invested $153 million to bring the arts to Canadians throughout the country.

www.editionspowpow.com

De la même auteure

Le point B, Monet éditeur, 2006
La plus jolie fin du monde, Mécanique générale, 2007
Le quart de millimètre, Grafigne, 2009
« Mauve ciel », dans Histoires d'hiver, Glénat Québec, 2009
« Esquive », dans Partie de pêche, Glénat Québec, 2010
« Dans mon corps », dans ZIK & BD, Éditions de l'Homme, 2010
Apnée, Pow Pow, 2010
« Devenir grand » (avec Luc Bossé), dans Le démon du hockey, Glénat Québec, 2011
Pain de viande avec dissonances, Pow Pow, 2011
L'ostie d'chat, tomes 1 à 3 (avec Iris), Delcourt, 2011-2012
Les deuxièmes, Pow Pow, 2013
Le bestiaire des fruits, La Pastèque, 2014

Du même éditeur

Yves, le roi de la cruise, Alexandre Simard et Luc Bossé, 2010
Apnée, Zviane, 2010
Motel Galactic, Pierre Bouchard et Francis Desharnais, 2011
Mile End, Michel Hellman, 2011
Phobies des moments seuls, Samuel Cantin, 2011
Pain de viande avec dissonances, Zviane, 2011
Glorieux printemps, tome 1, Sophie Bédard, 2012
Motel Galactic 2 : le folklore contre-attaque, Pierre Bouchard et Francis Desharnais, 2012
Glorieux printemps, tome 2, Sophie Bédard, 2012
Motel Galactic 3 : comme dans le temps, Pierre Bouchard et Francis Desharnais, 2013
Vil et misérable, Samuel Cantin, 2013
Croquis de Québec, Guy Delisle, 2013
Les deuxièmes, Zviane, 2013
Glorieux printemps, tome 3, Sophie Bédard, 2013
Chroniques du Centre-Sud, Richard Suicide, 2014
Glorieux printemps, tome 4, Sophie Bédard, 2014
Dessins, Pascal Girard, 2014
Je sais tout, Pierre Bouchard, 2014
23 h 72, Blonk, 2014
La guerre des arts, Francis Desharnais, 2014
Les cousines vampires, Alexandre Fontaine Rousseau et Cathon, 2014
Capharnaüm, Lewis Trondheim, 2015

Dédicaces. Attrapez-les toutes !

Jimmy Beaulieu	Luc Bossé	Pierre Bouchard	Boulet	Antonin Buisson
Cathon	Julie Delporte	Francis Desharnais	Jean-Paul Eid	Brigitte Findakly
Alexandre Fontaine Rousseau	Pascal Girard	Réal Godbout	Maître Niko	Guillaume Pelletier
Yves Pelletier	Saturnome	Richard Suicide	Lewis Trondheim	Zviane